SYNIAD DA IAWN - 2

Syniad da iawn - 2

Hwyl darllen i blant y teulu

Golygydd: Heledd Jones

Awduron
DYLAN WYN WILLIAMS
DAFYDD HARRIS-DAVIES
HAF LLEWELYN
SIONED W. HUGHES DAVIES
MYRDDIN AP DAFYDD
NIA DAVIES WILLIAMS

Arlunwyr
CATRIN MEIRION
DYLAN WILLIAMS
SIÔN MORRIS
MEINIR WYN JONES

GWASG Carreg Gwalch

Argraffiad cyntaf: Tachwedd 2002

ⓗ *Yr awduron/Gwasg Carreg Gwalch*

Rhif Llyfr Safonol Rhyngwladol:
0-86381-803-X

Cynllun clawr: Siôn Morris

Lluniau tu mewn:
Catrin Meirion, Dylan Williams,
Siôn Morris, Meinir Wyn Jones

Cyhoeddwyd straeon Beic Bedlam yn wreiddiol yn 'Cip', un o gylchgronau'r Urdd.

Argraffwyd a chyhoeddwyd gan Wasg Carreg Gwalch,
12 Iard yr Orsaf, Llanrwst, Dyffryn Conwy, LL26 0EH.
℡ 01492 642031
▤ 01492 641502
✆ llyfrau@carreg-gwalch.co.uk
lle ar y we: www.carreg-gwalch.co.uk

CYNNWYS

Caleb
a'r Bechgyn Bach Drwg

'O, bobol bach, dwi wrth fy modd ar ddiwrnod poeth o haf,' meddai Caleb. Edrychodd o'i gwmpas i weld os oedd pob dim yn iawn, ac ymhen dim roedd yn chwyrnu cysgu, a Haf y gath yn gorwedd ar ei chefn wrth ei ochr yn chwarae gyda phelen o wlân.

'CRAC, CRAC, CRAC!'

Neidiodd Caleb. 'Beth yn y byd ... ?'

'CRAC, CRAC, CRAC!' eto o ochr y cwt. Neidiodd Caleb a Haf y gath, a thrwy gil ei lygaid, gwelodd Caleb ddau fachgen bach yn cripian tuag ato'n araf ar draws y tywod. 'Emyr a Siôn o'r pentref ydi rheina,' meddyliodd Caleb. 'Be sy'n mynd 'mlaen yn y fan hyn, tybed?'

'Mi dorra i ffenest cwt Caleb o dy flaen di Emyr!'

'Na, wnei di ddim!'

'O, gwnaf, mi wnaf!'

'Dim gobaith mul, mêt!'

Gwylltiodd Caleb wrth glywed hyn, a gweiddi nerth esgyrn ei ben: 'dyna ddigon! Rhowch gorau iddi'r munud 'ma – fydda i ddim yn hoffi cael fy neffro heb reswm.'

Edrychodd Siôn ac Emyr ar Caleb, gan dynnu eu tafodau a chwerthin yn wawdlyd arno. 'Ty'd Emyr, gad y swnyn. Beth am fynd draw i'r Ynys?'

'Ia. Syniad da. Ty'd – am y goleudy.'

'Arhoswch!' gwaeddodd Caleb. 'Mae'r llanw'n troi; cewch chi'ch dal gan y môr uchel!' A chan feddwl fod y ddau wedi gwrando arno, syrthiodd Caleb yn ôl i drwmgwsg drachefn.

Ond yn y cyfamser, roedd Emyr a Siôn wedi rhedeg yr holl ffordd i'r Ynys, a'u pennau'n llawn triciau direidus. Sylwodd yr un o'r ddau ar y môr yn dod i mewn yn araf bach, bach.

Ar ôl cyrraedd, sylwodd Siôn ar gylch achub oren. 'Hei, Emyr! Beth am daflu hwn i'r môr, a'r cynta i'w daro fo hefo carreg sy'n ennill?'

'Syniad da!' meddai Emyr. Ond wrth iddo ei dynnu i lawr, sylwodd ar yr arwydd uwch ei ben:

TAFLWCH Y CYLCH AT BOBL SYDD MEWN TRAFFERTHION YN Y MÔR. Diolch.

'Hy!' meddai Emyr. 'Wela' i neb mewn trafferth.' A chyda bloedd fawr o 'Hwrê!' taflodd y cylch achub gwerthfawr i'r môr. Cafodd y ddau hwyl fawr yn ei daro gyda cherrig, ond yn fuan iawn, roedd llif y môr wedi'i gario ymhell o'r lan.

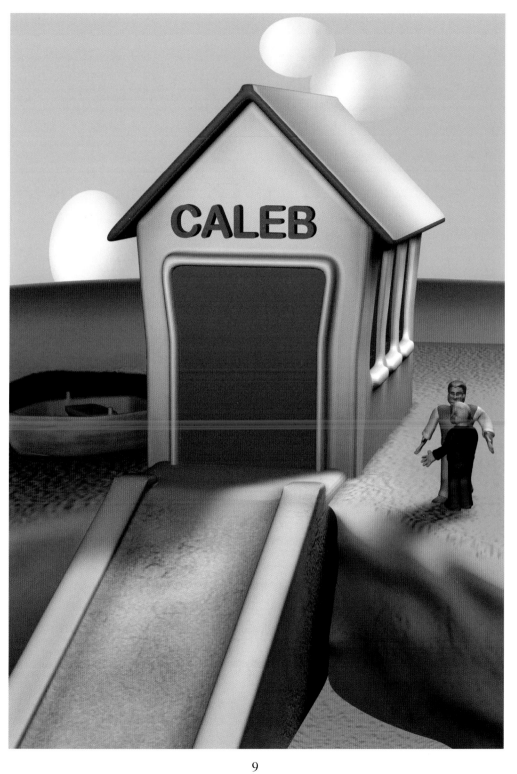

'Dim ots,' meddai Emyr. 'Beth am ras? Y cyntaf i gyrraedd y goleudy – iawn?' A rhedodd y ddau nerth eu traed, gan syrthio'n flinedig ar wastad eu cefnau ar ôl cyrraedd.

'Fi enillodd!' gwaeddodd Siôn yn fuddugoliaethus.

'Fi oedd y cynta!' mynnodd Emyr.

'Nage – fi oedd y cynta!' dadleuodd Siôn, a chyn pen dim, roedd y ddau'n ffraeo'n uchel.

Agorodd Gari Goleudy ei un lygad fawr gan edrych o'i gwmpas i weld beth oedd yr holl sŵn. Cysgai Gari'n drwm drwy'r dydd am ei fod yn gorfod bod yn effro iawn drwy'r nos i daflu golau dros y môr.

'Hei, be ti'n feddwl o'r goleudy 'ma? Ty'd – awn ni i fewn, ia?' awgrymodd Emyr. Ac ar y gair, i mewn â'r ddau.

Wel, dyma beth oedd lle braf i wneud llanast. Neb o gwmpas, neb i ddweud 'na' neu 'peidiwch', felly am amser hir, bu'r ddau'n brysur yn agor pob cwpwrdd a drôr, gan daflu popeth blith draphlith ar hyd y llawr.

'Yli be sy' fan'ma, Siôn. Digon o baent coch, a llond pwced o frwshys paent mawr.' Gwenodd y ddau'n ddieflig ar ei gilydd cyn rhuthro allan i'r haul i beintio eu henwau ar waliau gwynion, glân Gari Goleudy.

Wrth iddynt beintio a gweiddi a chwerthin, edrychodd Gari i lawr arnynt yn ddig. 'Be ar yr wyneb daear 'dach chi'n 'i 'neud?' bloeddiodd arnynt yn flin.

Dychrynodd y ddau mor ofnadwy fel y taflodd Emyr ei bot paent dros ben Siôn, a thaflodd Siôn ei bot paent dros ben Emyr, nes bod y ddau cyn goched ag injan dân.

Edrychodd y ddau i fyny at Gari yn llawn syndod, ac mewn fflach, trodd Emyr a Siôn ar eu sodlau, gollwng y brwshys ar lawr, ac i ffwrdd â nhw.

Ond roedd sioc yn eu disgwyl – lle bu tir ychydig ynghynt, dim ond dŵr oedd yno bellach. Roedd y môr wedi'u dal ar yr ynys!

'Be wnawn ni rŵan?' meddai Siôn, gan ddechrau crïo mewn ofn.

'Dwi'm yn gwbod,' meddai Emyr. Edrychai'n ddigon doniol wrth i'r paent coch ddechrau caledu ar ei wyneb a'i ddillad.

'Dwi'n gwbod,' meddai llais mawr. Edrychodd y ddau o'u cwmpas i weld pwy oedd yn siarad. 'Y fi sy'n siarad. Y fi, Gari Goleudy.'

Edrychodd y ddau ar Gari mewn syndod. 'Sut?' gwaeddodd y ddau gyda'i gilydd.

'Y cwbl sy' rhaid i chi'i wneud ydi gafael yn y cylch achub a nofio'n ôl i'r traeth cyn i'r llanw godi'n uwch.

'Ond fedrwn ni ddim,' meddai Emyr, gan ddechrau crïo ei hun erbyn hyn.

'O? A pham, felly?' gofynnodd Gari Goleudy.

Edrychodd Emyr ar y cerrig mân oedd wrth ei draed, gan symud yn anghyfforddus o un goes i'r llall. 'Ym ... fe luchion ni'r cylch achub i'r dŵr ... '

'Wel, wel,' meddai Gari. 'Dyna beth dwl i'w wneud. Mae'n edrych yn debyg y bydd rhaid i chi aros fan hyn hefo fi drwy'r nos hyd nes i'r llanw fynd allan eto.'

'O na, na! Mi fydd Mam a Dad yn poeni, ac fe gawn ni gweir ofnadwy.'

'Ddylech chi fod wedi meddwl am bethe fel'na cyn ichi ddechrau ar yr holl ddrygioni 'ma,' meddai'n Gari'n chwyrn, a'i lygad fawr yn pefrio. Edrychodd y ddau fachgen ar eu traed. Teimlent yn euog iawn am y pethau roeddent wedi'u gwneud.

Penderfynodd Gari Goleudy nad oedd ond un peth y gellid ei wneud. Roedd yn rhaid galw ar Caleb i ddod draw i'r ynys i nôl y ddau fachgen drwg. A dyna'n union a wnaeth.

'Ty'd Caleb,' meddai Capten Iolo. 'Mae'n rhaid inni fynd i weithio, Mêt. Ma' 'na ddau fachgen wedi'u dal ar ynys Gari Goleudy.'

Llithrodd Caleb i lawr y sleid gychod, a tharo'r dŵr gyda sblash enfawr gan wlychu Haf y gath unwaith eto. O, roedd y dŵr yn teimlo'n oer ar ei fol ar ôl iddo fod yn cysgu yn yr haul drwy'r dydd. Ond cyn pen dim, roedd Caleb a Chapten Iolo wedi cyrraedd ynys Gari.

'Hei,' meddai Caleb. 'Dwi'n nabod y ddau yma. Emyr a Siôn ydyn nhw.'

'Felly, y ddau yma sydd wedi bod yn peintio waliau Gari Goleudy,' meddai Capten Iolo.

'Ie, a thaflu cerrig at fy nghwt i,' meddai Caleb yn flin. Erbyn hyn, roedd Gari, Caleb a Chapten Iolo'n edrych yn gas iawn ar Siôn ac Emyr.

'Dowch yn eich blaenau, wir,' meddai Capten Iolo, 'nôl adre â chi.'

Aeth Caleb â nhw'n ôl at y traeth. Yno'n disgwyl amdanynt roedd tad a mam y ddau fachgen. Wel, dyna i chi beth oedd stŵr – ni chlywyd y fath sŵn yn y pentref erioed o'r blaen.

'Rŵan ta, chi'ch dau,' meddai tad Siôn. 'Adref, syth i'r bàth, ac i'r gwely, a dim chwarae ar y cyfrifiadur am fis cyfan. Bydd yn rhaid inni feddwl am gosb addas am yr hyn ry'ch chi wedi'i wneud y prynhawn 'ma.'

'Mae gen i syniad da,' meddai Caleb, gan sibrwd yng nghlust tad Emyr.

Yn gynnar, gynnar fore trannoeth, roedd y ddau wrthi'n ailbeintio waliau gwyn Gari Goleudy. Yn wir, buont wrthi'n peintio am wythnos gyfan.

'A phwy sy'n mynd i dalu am y paent yma a'r cylch achub newydd?' gofynnodd Gari Goleudy.

'Paid ti â phoeni dim, Gari,' meddai Caleb. 'Mi fydd hi'n amser hir iawn cyn y caiff Emyr a Siôn arian poced eto.'

Ac wrth roi winc fawr a gwên lydan ar Gari, trodd Capten Iolo lyw Caleb y Cwch Achub, a'i hwylio'n ôl yn dyner at y cwt clyd ar y traeth.

DAFYDD HARRIS-DAVIES

18

Gwahoddiad i beidio â dod i barti pen-blwydd

Annwyl Gwilym, gwahoddiad sy' gen i
iti beidio â dod i 'mharti eleni.

Ni che's y llynedd ddod i d'un di
a dyna ben ar ein perthynas ni.

Os ydi'n rhyw gysur, 'ddaw Morus ddim chwaith –
mi chwythodd fy nghanhwyllau pan oeddwn i'n saith.

Nac Em na Dafs. 'Ddaeth yr un ohonyn
ag anrheg 'llynedd. Nid felly Sionyn –

mi ge's i ddoli Sbeis-gyrl gynno'r
hen ben-nionyn. Fydd yntau ddim yno.

Mae Sbring yn rhedwr ac yn neidiwr pell;
pan na fydd o gwmpas – dwi'n teimlo'n well.

Mae Huw'n cael pob peth, cael mynd i bob lle –
ond heddiw y FI sy'n cael dweud, O-Cê?

Mae Boms yn drewi; 'sgen Dyl ddim cliw;
dydi Cefin Lerpwl ddim yn foi Man Iw.

Mae 'mrawd yn rhy wirion, fy chwaer yn rhy gall –
bydd mwy o hwyl heb y naill na'r llall.

'Mor felys,' meddaf 'yw parti i un –
cael rhannu'r cyfan gyda mi fy hun.'

Cei'r hanes, Gwilym, yfory gen i . . .
ond dario – anghofiais – dan ni'm yn siarad 'leni.

MYRDDIN AP DAFYDD

Beicwyr Bedlam

'Dwi wedi hen ddiflasu. Wedi cael llond bol. Na, dwi'n teimlo'n waeth na hynna. Dwi wedi cael andros o lond bol! Mae'n rhaid bod mwy i fywyd na mynd rownd y twll lle yma ar bnawn Sul bôr-ing, ar gefn beiciau sydd dest â disgyn i ffwrdd yn ddarnau mân!'

Steffan Clwyd oedd yn siarad – yr hynaf o'r criw, ac arweinydd y giang oedd yn chwilio'n ofer am rywfaint o antur yng Nghwm Eithin. Y tu ôl iddo roedd Cara Wyn, Gethin Rhys a Tim Hwntw yn reidio beics oedd yn edrych fel petaent wedi cael eu prynu mewn siop yn oes yr arth a'r blaidd. Ac fel y brain yn y coed uwchben a defaid yr Hendre yn y cae cyfagos, roedden nhw wedi clywed cwynion Steffan i gyd o'r blaen.

' ... pam nad oes rhywbeth cyffrous yn digwydd yn y lle 'ma? 'Sa well gin i fyw yn rhywle fel ... Caerdydd ... neu Efrog Newydd ... neu ... Sydney ... rhywle efo dipyn bach mwy o sbarc, mwy o fywyd, mwy o gyffro, mwy o wmff ... !

Yn sydyn, fel mellten o'r tywyllwch, daeth car du a

threlar rownd y gornel ar wib gwyllt. Seiniodd y corn yn
aflafar dros y lle, gan beri i'r pedwar ffrind neidio o'u
beiciau mewn braw, a glanio'n ddiseremoni i ganol y drain
a'r mieri yn y clawdd. Gwelodd y plant y gyrrwr barfog a blêr
yr olwg yn chwerthin nerth ei ben wrth basio heibio, gan
ddangos rhes o ddannedd melynfrown smociwr. Sgrechiai
olwynion y car, gan dasgu mwg tew, cerrig mân a dail gwlyb
wrth sgrialu heibio'r ysgol ac i fyny'r cwm. Ymhen ychydig
eiliadau, roedd y wlad fel y bedd unwaith eto. Bob yn un,
cododd y plant o'r clawdd, yn faw a phigau drain drostynt i
gyd. Poerodd Cara'r pridd gwlyb allan o'i cheg, a throi at

Steffan yn flin. 'Wel,' meddai, 'oedd hynna'n ddigon o "wmff" i chdi?!'

Troi am adref wnaeth y criw wedyn, er gwaetha protestiadau Steffan ei bod hi'n fwy 'bô-ring' fyth yn fan'no! A chan nad oedd yr un ohonyn nhw'n ffansïo cwrdd â'r car a'r trelar Fformiwla 1 yn sydyn reit eto, penderfynodd y giang gerdded am adref drwy gaeau Hendre. Steffan oedd yr olaf i lusgo'i feic rhydlyd i'r cae; anghofiodd gau'r giât yn dynn ar ei ôl. Ymhen hir a hwyr, roedd ambell ddafad fusneslyd wedi sylwi ar hyn, ac yn bachu ar y cyfle i gael crwydro tipyn fel rhai 'rhen William Morgan gynt ...

Gethin sylwodd arnyn nhw gyntaf. Roedd y criw bron o fewn cam a naid i'w cartrefi yn Rhesdai Bedlam ('Rhesdai Bethlehem' oedd yr enw iawn ar y lle, ar ôl yr hen gapel, ond roedd yr hen bobl wedi ailfedyddio'r stryd yn sgîl yr holl gadw reiat oedd yno ymhlith y plant!), pan stopiodd Gethin i gymryd ei wynt ato. Syllodd yn gegagored wrth weld y llwybr hir o smotiau gwyn yn llenwi'r ffordd tarmac llwyd yn y pellter. 'Y ... 'nath rhywun anghofio cau'r giât ... ?'

Sgrechiodd Cara mewn panig. 'Brysiwch! Cyn iddyn nhw ddianc i'r ffordd fawr – a chyn i Jac yr Hendre hanner ein lladd ni!' Neidiodd y pedwar ar eu beiciau, a sgrialu'n bendramwnwgl i lawr y llechweddi serth. Sôn am strach! Erbyn iddyn nhw gyrraedd y ffordd, roedd y defaid i gyd wedi cyrraedd yno o'u blaenau ac yn benderfynol o fwynhau eu rhyddid! Ceisiodd y pedwar basio heibio gyda'u beics, gan weiddi a 'shw-ian' ar dop eu lleisiau a chwifio'u breichiau fel melinau gwynt gwallgof – ond yn llwyddo i wneud pethau'n ganmil gwaeth wrth wneud i'r defaid redeg ar garlam ymhellach i lawr tuag at y ffordd fawr. Yna, heb rybudd, daeth sŵn injan car o'r pellter. Daethai'n nes ac yn nes ac yn nes, ac yna daeth sŵn sgrech y breciau gyda chlamp o glec fyddarol i ddilyn. Chwalodd y defaid i bobman mewn braw, gan adael llwybr agored i ddangos car du a threlar wedi taro'n flêr yn erbyn y clawdd. Roedd sŵn seiren car yr heddlu i'w glywed yn y pellter. Suddodd calonnau'r pedwar ffrind fel plwm. 'O, na!' sibrydodd Tim yn hanner-ddagreuol, ''ni mewn trwbwl nawr bois!'

Wythnos yn ddiweddarach, roedd pedwar ffrind yn beicio ar hyd lonydd culion Cwm Eithin. Roedd haul mis Ionawr yn tywynnu yn yr awyr, y defaid yn ôl yn ddiogel yn y caeau, a phawb mewn hwyliau – roedd hyd yn oed Steffan yn gwenu! Wedi'r cwbwl, y nhw oedd arwyr yr ardal! Diolch i'r pedwar, roedd y lladron o ochrau gogledd Lloegr – gyrwyr gwallgof y car du a'r trelar dan glo, a Jac yr Hendre wedi cael ei feic modur pedair olwyn yn ôl yn un darn o gefn y trelar. Ac rŵan mae Steffan, Cara, Gethin a Tim yn rasio o gwmpas y lle ar gefn eu beiciau mynydd sgleiniog a swanc, sef eu gwobr gan yr heddlu am rwystro'r lladron – a'r cyfan oherwydd i rywun anghofio cau giât y cae yn sownd ...

DYLAN WYN WILLIAMS

Beicwyr Bedlam, yr Ysbrydion Da

'Cast 'ta ceiniog? Cast 'ta ceiniog?' meddai'r wrach, y sgerbwd, y draciwla a'r diafol mewn un côr ar garreg y drws. Edrychodd yr hen wraig gysglyd yn wirion arnynt.

'Cerwch o'ma'r hen drychfilod! Rhag eich cywilydd chi'n dychryn hen bobl fel hyn! Yn eich gwelyau ddylsach chi fod 'radeg yma o'r nos!' Trodd Besi Lloyd ei chefn, cau'r drws yn glep yng ngwynebau Beicwyr Bedlam, a'u gadael yn sefyll yn fud yn y glaw mân a'r tywyllwch. Na, doedd heno ddim yn noson dda iawn i'r pedwar ffrind, a oedd wedi gobeithio cael llond trol o hwyl ar noson Calan Gaeaf. Roedd y criw wedi mynd i drafferth mawr i wneud eu gwisgoedd a'u masgiau eu

26

hunain, a'u lanternau o bwmpen ... ond doedd gan bobl Cwm Eithin fawr o ddiddordeb yn eu campweithiau. Dro ar ôl tro, roedd rhywun yn ateb y drws gyda'u cwynion di-ri – am orfod codi oddi wrth tanllwyth o dân braf er mwyn ateb y drws, neu o gael eu styrbio ar ganol swper neu bennod o *Pobol y Cwm*. Bu raid i'r plant redeg am eu bywydau o un tŷ, wrth glywed cŵn yn cyfarth yn ffyrnig ar ôl canu'r gloch. Ac mewn tŷ arall, roedd pâr ifanc yn gwneud hwyl am eu pennau, gan fynnu bod y Teletybis yn codi mwy o ofn arnyn nhw na Beicwyr Bedlam a'u 'gwisg ffansi plentynnaidd'. Ac i goroni'r cyfan, doedden nhw heb gael yr un geiniog na darn o losin am eu trafferth. Tim y draciwla oedd yn cwyno fwyaf: 'Pan o'n i'n arfer mynd allan ar noson Calan Gaeaf yn y Rhondda, roedd pobl yn garedig iawn aton ni . . . yn wahanol i chi'r Gogs!' meddai'n swta, 'Wel, dwyt ti ddim yn y Rhondda rŵan, nagwyt? Felly stopia swnian!' atebodd Cara'n flin dan ei het bigfain a'i wig gwyrdd a du, llaes. Tisiodd Gethin yn uchel am y degfed tro y noson honno, gan ddifaru ei fod wedi dewis gwisgo'r siwt sgerbwd denau ar noson mor oer. 'Dewch o 'na rŵan!' meddai Steffan yn sionc, 'pwy glywodd am ysbrydion yn ffraeo a chega ymysg ei gilydd, wir! Mae gynnon ni drwy'r nos i ddychryn pobl Cwm Eithin am eu bywydau!' A cherddodd i lawr y lôn yn hapus, gyda'i gyrn diafolaidd yn fflachio'n goch yn y nos.

Yn anffodus, mynd o ddrwg i waeth wnaeth pethau. Fe gawson nhw ffrae gan Plisman Puw ar sgwâr y pentref ar ôl i Besi Lloyd gwyno eu bod nhw'n gwneud drygau. Ar ben hynny, fe gafodd Cara ei gwlychu o'i chorun i'w sawdl ar ôl i lori anferth daranu ar hyd y Stryd Fawr, gan dasgu dŵr dros y pafin i gyd. 'Reit – dyna ni – dwi'n mynd adra! A dwi byth,

BYTH, yn dŵad allan ar noson Calan Gaeaf BYTH ETO!'
'Hy! Fysa gwrachod go-iawn ddim yn pwdu o achos 'chydig
o ddŵr budr,' dywedodd Steffan dan ei wynt.

Wrth iddynt gerdded am adref, stopiodd Steffan yn
sydyn. Roedd tŷ Eban Huws gerllaw, ac roedd yr hen ŵr fel
arfer yn glên iawn i'r plant, ac yn dipyn o gymeriad ei hun.
Fe fyddai wrth ei fodd o weld y plant i gyd. 'Hei, giang!
Stopiwch!' gwaeddodd, a cherdded i fyny'r llwybr at y tŷ. Er
gwaetha protestiadau Cara, roedd yn rhaid dilyn yr hogia o
leia unwaith eto cyn rhoi'r ffidil yn y to yn gyfangwbl am y
noson.

Canodd Steffan gloch y drws unwaith . . . yna'r eildro . . .
ac eto . . . ond doedd dim ateb. Edrychodd pawb yn syn ar
eu gilydd. 'Ma' rhaid bod rhywun gartre,' meddai Tim, 'ma'
'na olau ym mhob man tu fewn.' A gwir pob gair, hefyd. Ar
ben hynny, gallent glywed sŵn y teledu. Rhyfedd iawn. 'Be
ar y ddaear wyt ti'n ei wneud?' holodd Gethin mewn braw,
wrth weld Steffan yn agor clicied y drws yn araf bach. Roedd
yn agored! Syllodd Beicwyr Bedlam i'r cyntedd, ac roedd
sŵn y teledu'n uwch fyth erbyn hyn.

'Eban Huws? Helôôôôôôô?' atseiniodd llais Steffan
dros y tŷ. Dim ateb. 'Ma' rhywbeth wedi digwydd!' meddai
Cara'n ofnus. 'Ust!' sibrydodd Steffan, 'ydych chi'n gallu
arogli rhwbath?' Crychodd pawb eu trwynau i'r awyr,
heblaw Gethin druan oedd yn llawn annwyd. 'Mwg?'
mentrodd Cara. Rhedodd Steffan fel fflach drwy'r cyntedd
ac i mewn trwy'r drws cyntaf. Baglodd y lleill ar ei ôl i fewn
i'r lolfa. Yno, roedd Eban Huws yn chwyrnu'n braf yn ei

gadair, a'i getyn wedi disgyn ar y llawr gan ddechrau mudlosgi yn y carped. 'Dŵr! Ewch i nôl dŵr y funud yma!' gorchmynnodd Steffan. Erbyn i Tim, Gethin a Cara ddychwelyd gyda sosbenni'n llawn o ddŵr, roedd Eban Huws wedi deffro o'i drwmgwsg i weld tân yn dechrau cynnau ar lawr ei lolfa. Taflodd y criw y dŵr ar y fflamau mewn amrantiad, gan adael dim ond ôl llosgi ar y llawr. Syllodd Eban Huws ar y pedwar arwr o'i flaen. 'Brensiach! Diolch i'r nefoedd am noson Calan Gaeaf, ddeuda' i!'

'Y ... cast 'ta ceiniog?' gofynnodd Steffan. A chwarddodd pawb yn uchel, yn ddigon uchel i ddeffro'r meirw ar noson yr ysbrydion a'r ellyllon echrydus.

DYLAN WYN WILLIAMS

Dotio at y potio

Rhaid imi botio'r goch ...
Byddaf yn dweud 'da boch'
Wrth ddosbarth ac wrth ysgol,
Gwersi a sŵn y gloch;
Bydd yma guro dwylo brwd
Dim ond imi botio'r goch.

Rhaid imi botio'r las ...
O! bydd yma ias,
Lwmp yng ngwddw'r dyrfa
A'r galon yn rhoi ras;
Byddaf yn seren ar y sgrin
Dim ond imi botio'r las.

Rhaid imi botio'r ddu ...
Rwy'n gystadleuydd cry',
Yn potio'r lliwiau crynion
A dotio y mae'r llu;
Bydd cwpan y byd yn fy llaw
Dim ond imi botio'r ddu.

Potio'r peli lliwgar
A photio'r arian mawr
Yw'r freuddwyd yn fy mhen ...
Ond mae'r haul yn pylu
Ac yn cymylu'n awr –
Rwyf newydd botio'r wen!

MYRDDIN AP DAFYDD

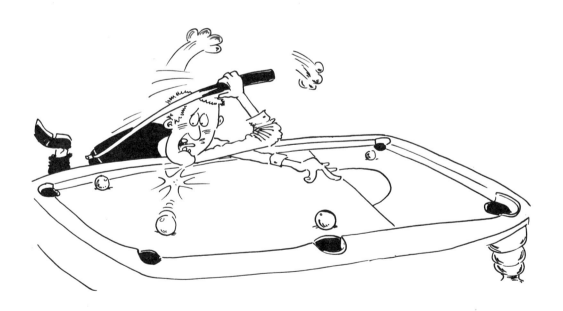

DYLAN
Y CRWBAN DI-GRAGEN

Roedd Alan yn byw mewn tŷ o'r enw Tegfan, ac roedd Lois, ei ffrind yn byw drws nesa.

Gan fod digonedd o le i chwarae o gwmpas eu cartrefi, byddai'r ddau'n treulio sawl diwrnod allan yn yr awyr agored.

Ond roedd gan Alan gi mawr du – Moffat; nid oedd Lois yn rhy hoff ohono, a chredai ei fod yn hen labwst gwirion. Byddai Moffat yn bowndian o gwmpas y lle eisiau chwarae bob munud, ac ni wrandawai ar yr un gair a ddywedai Alan wrtho.

Un diwrnod braf ar ddechrau'r Gwanwyn, roedd Alan a Lois yn chwarae yn yr ardd yn Tegfan pan ddechreuodd Moffat gyfarth yn gynhyrfus wrth dwll yn y clawdd cerrig.

'Be sy'na boi?' gofynnodd Alan.

'Mae o wedi dod o hyd i dwll cwningen neu rywbeth,' meddai Lois.

'Edrycha, mae o'n ysgwyd ei gynffon yn wyllt; dwi'n siŵr bod yna rhywbeth yn y twll,' meddai Alan.

'Wel, ddaw e ddim allan tra mae'r llabwst gwirion yna'n cyfarth yn ddi-baid,' dwrdiodd Lois gan ysgwyd ei phen. 'Cer â Moffat i'r tŷ, a tyrd â thamaid o letys yn ôl efo chdi.

'I be?' gofynnodd Alan.

'Gei di weld wedyn,' atebodd Lois.

'Tyrd boi,' meddai Alan. Ond wrth gwrs, ni chymrodd Moffat yr un tamaid o sylw o'i feistr. 'Moffat!' gwaeddodd Alan, 'Tyrd i'r tŷ y funud yma, y penci bach.' Ond parhau i gyfarth a gwthio'i drwyn i lawr y twll yn y clawdd a wnâi Moffat.

'Bydd raid i ti ei lusgo i'r tŷ gerfydd ei goler,' meddai Lois gan ddechrau colli amynedd efo'r ddau.

Ac yn wir, dyna'r unig ffordd y gallodd Alan fynd â Moffat i'r tŷ.

Yn y man, dychwelodd Alan o'r tŷ gyda darn o letys yn ei law, rhoddodd Lois yr darn wrth geg y twll ac aeth y ddau tu ôl i wrych i wylio.

'Pam rydan ni'n aros fan'ma?' holodd Alan.

'Sshh,' sibrydodd Lois. 'Os oes rhywbeth yn byw yn y twll yna, efallai daw e allan i fwyta'r letys,' meddai Lois.

Ymhen hir a hwyr, pan oedd Alan wedi dechrau syrffedu, clywodd y ddau sŵn stwrian o gyfeiriad y twll. Safodd Alan a Lois fel delwau. Yna, ymddangosodd pen bach brown, moel, crychlyd gan ymestyn ei wddf hir am y ddeilen letys a'i bwyta'n araf bach.

'Crwban!' ebychodd Lois. Ond cyn i Alan a Lois fentro mynd ato, cerddodd y crwban ychydig yn ei flaen i chwilio am fwy o letys.

'Bobol bach Lois, nid crwban ydi hwnna!' Ac yn wir, rhyw greadur digon od ddaeth o'r twll. Roedd ganddo gorff yr un fath â'i ben – brown, moel a chrychlyd, ond doedd dim hanes o gragen!

Mentrodd Alan a Lois ymlaen yn ddistaw bach. Edrychodd y creadur bach od arnynt yn syn, ond arhosodd heb droi'n ôl am y twll.

'Rargian, 'sgwn i be ydi o?' gofynnodd Alan mewn penbleth.

'Crwban,' meddai rhyw lais bach araf.

'Y chdi ddeudodd hynna rŵan?' gofynnodd Alan.

'Naci wir,' meddai Lois.

'Crwban ydw i,' meddai'r llais bach eto. 'Crwban heb gragen, a Dylan yw fy enw.'

'Bobol bach – mae'n siarad!' ebychodd Alan.

Rhewodd y ddau wedi'u dychryn heb wybod beth i'w wneud, ond gan fod golwg mor druenus ar y crwban, aeth y ddau'n nes ato.

'Chlywais i erioed am grwban yn siarad o'r blaen,' meddai Alan.

'Wel naddo mae'n siŵr,' meddai Dylan y crwban. 'Rydym ni'n medru siarad, ond fydd pobl byth yn ein clywed, na byth yn gwrando chwaith.'

'Ond sut ydym ni'n dy glywed di rŵan ta?' gofynnodd Lois.

'Wel, am nad oes gen i gragen, dwi'n meddwl bod pobl yn medru fy nghlywed i'n well.'

'Pam nad oes gen ti gragen?' gofynnodd Alan.

'Paid â gofyn cwestiwn mor bersonol,' dwrdiodd Lois.

'Mae'n iawn,' meddai Dylan. 'Fe ddygodd rhywun fy nghragen tra oeddwn yn cysgu yn ystod y gaeaf; roedd hi'n gragen hardd, a dwi'n ei cholli'n ofnadwy. Fedra' i ddim mynd allan i'r glaw neu mi fydda i'n wlyb at fy nghroen, a fedra i ddim mynd allan i'r haul neu mi fydda i'n llosgi – fedra' i wneud dim byd ond treulio pob diwrnod yn yr hen glawdd cerrig yma, a'r funud honno, dechreuodd Dylan grio a chrio.

Teimlai Alan a Lois yn drist iawn dros y crwban bach, ond yn araf bach lledodd gwên lydan ar wyneb Lois. 'Mae gen i syniad,' meddai. 'Beth am wneud côt yn arbennig i ti?

Mi fedra' i wau côt bob lliw er mwyn dy gadw di'n gynnes.'

'Wyddwn i ddim dy fod di'n medru gwau,' meddai Alan mewn syndod.

'Medraf wir,' atebodd Lois yn falch, 'a fydda i fawr o dro yn gwneud un os dechreua i'n syth.'

'Yli Dylan, fe ddaw Lois a finnau'n ôl fory, iawn?'

'Iawn ... ond mi faswn i'n hoffi banana hefyd,' meddai'r crwban, oedd yn llawer hapusach erbyn hyn. 'Bananas yw fy hoff fwyd; does gen i fawr i'w ddweud wrth hen letys.'

'Wel, mi gei lond dy fol o fananas rŵan ein bod ni'n gwybod amdanat,' sicrhaodd Alan gan ffarwelio â'r hen grwban bach am y tro.

Drannoeth, ar ôl gwneud yn siŵr fod Moffat wedi'i gau yn y tŷ, aeth Alan a Lois draw at dwll Dylan yn y clawdd a gwisgo'r gôt wlân amryliw amdano. Credai Lois fod Dylan yn edrych yn ddigon selog ynddi, a theimlai'n falch o'i hymdrech i wau'r gôt. Roedd Dylan hefyd yn hoff ohoni, a theimlai'n weddus o'r diwedd.

Pan aeth Alan a Lois allan yn hwyrach y prynhawn hwnnw i weld sut roedd y gôt wlân yn plesio, cafodd y ddau andros o sioc; agorodd Lois ei cheg mewn syndod wrth i Alan bwffian chwerthin y tu ôl iddi. Safai Dylan yn ei gôt wlân amryliw a oedd wedi mynd yn fach, fach amdano.

'O Dylan! Be ddigwyddodd?' gofynnodd Lois.

'Wel, mi es i allan yn y glaw, ond doedd y gôt ddim yn dal dŵr, felly roeddwn i'n wlyb at fy nghroen, ond wrth iddi sychu, dechreuodd fynd yn llai ac yn llai, a rŵan dwi'n teimlo'n hollol annifyr.' Doedd dim i'w wneud ond ei thynnu, a rhwng Dylan yn cwyno bod y gôt yn

pigo, ac Alan yn cael pyliau o chwerthin bob yn hyn a hyn, cawsant drafferth mawr i'w thynnu.

Eisteddai'r tri ar bwys y clawdd ac edrychai Lois yn siomedig ar ei chôt wlân druenus yn ei dwylo.

Yn sydyn, neidiodd Alan i fyny.

'Rargian, be sydd?' gofynnodd Lois. 'Ges di dy bigo yn dy ben-ôl?'

'Naddo siŵr,' atebodd Alan, 'Wedi cael syniad gwell ydw i,' meddai. Ac ar hynny, rhedodd Alan i'r tŷ gan ddychwelyd y funud nesaf efo bag plastig.

'Be ti am ei wneud efo hwnna?' gofynnodd Lois.

'Gwneud côt sy'n dal glaw siŵr iawn!' chwarddodd Alan. Gwnaeth Alan dyllau yn y bag ar gyfer pen a choesau Dylan a'i roi'n ofalus amdano a'i glymu y tu ôl. 'Wel, rŵan!' meddai. 'Be wyt ti'n feddwl o hynna? Llawer gwell na rhyw hen gôt wlân wirion, yntê Dylan?'

'Wel, dwn i ddim …' meddai Dylan. 'Braidd

yn swnllyd ydi'r bag wrth i mi symud …' ac ar hynny, daeth chwa o wynt o rywle gan sgubo Dylan oddi ar ei draed fel balŵn, ond bu Lois ac Alan yn ddigon sydyn i afael yn ei draed er mwyn ei dynnu'n ôl i'r ddaear.

'Yli bydd raid i ti lyncu cerrig man,' meddai Alan.

'Paid â bod yn wirion!' dwrdiodd Lois yn gas.

'Wel, dyna sut mae brân yn gwneud ei hun yn ddigon trwm rhag iddi fynd i ffwrdd efo'r gwynt,' esboniodd Alan.

'Sut gwyddost ti be' mae brân yn ei wneud? Grasusa ti'n siarad lol weithiau, Alan.' Roedd Lois wedi gwylltio erbyn hyn.

'Wel, mi fydd raid i ti roi ychydig o gerrig i mewn yn y bag efo chdi 'ta yn bydd?' poerodd Alan, ac ar hynny rhoddodd yntau lond llaw o gerrig mân yn y bag.

'O diar, dwi'n teimlo'n annifyr!' gwichiodd

Dylan, 'a fedra' i ddim cerdded yn hawdd 'chwaith.'

'Wn i! Wn i!' meddai Alan yn sydyn. 'Mi fydda i'n ôl mewn dau funud. Tynna di'r bag plastig Lois, ac unwaith yn rhagor, aeth i gyfeiriad y tŷ.

'O na, dim eto!' meddai Lois gan roi ei phen yn ei dwylo.

Edrychai Dylan yn ddigon pryderus hefyd – yn enwedig pan welodd beth oedd gan Alan yn ei ddwylo pan ddychwelodd o'r tŷ.

'Bocs wyau!' meddai Lois mewn penbleth. 'Beth wyt ti am wneud efo hwnna Alan?' gofynnodd Lois.

'Fe gei di weld rŵan,' atebodd Alan. Gosododd hanner isa'r bocs wyau ar gefn Dylan a'i rwymo'n sownd efo llinyn bêls dan ei fol. Eisteddodd yn ôl i gael golwg iawn ar Dylan, ac meddai o'r diwedd,

'I'r dim!'

'Mae o'n debyg i ddeinosor!' meddai Lois gan geisio peidio â chwerthin.

'Beth yw deinosor?' gofynnodd Dylan.

'O, dim byd,' wfftiodd Alan. 'Lois sy'n rwdlan,' ac edrychodd yn gas arni.

'Wel, tria di fel yna am ychydig rŵan Dylan,' meddai Alan yn bwysig. 'Fe ddown yn ôl unwaith eto ar ôl swper i weld os yw popeth yn iawn, ond dwi'n siŵr na chei di broblem efo'r bocs wyau Dylan,' broliodd Alan yn hyderus, ac aeth y ddau i'w tai i gael swper.

Er nad oedd Dylan yn rhy siŵr o'r 'gôt' newydd yma, roedd hon o leiaf yn teimlo'n fwy tebyg i gragen ar ei gefn. Cerddodd Dylan o gwmpas rhyw ychydig er mwyn dod i arfer gyda'r bocs wyau, ond gwelodd aderyn bach ar ben y clawdd ac roedd Dylan bron yn siŵr ei fod yn chwerthin ar ei ben.

'Twi-hi-hi-hi-hi!' meddai'r aderyn bach.

Dechreuodd Dylan deimlo'n annifyr, ac i

wneud pethau'n waeth, fe ddechreuodd fwrw glaw hefyd.

Gwlychodd y bocs wyau, ac roedd yr aderyn bach i'w glywed yn uwch ac yn uwch. 'Twi-hi-hi-hi-hi! Twi-hi-hi-hi-hi!'

Cerddodd Dylan yn araf bach yn ôl at gyfeiriad y clawdd gyda'r bocs wyau gwlyb yn pwyso ar ei gefn; roedd wedi digaloni'n lân.

Aeth Alan a Lois yn ôl allan at Dylan wedi iddynt ddarfod eu swper, a sylweddolodd y ddau y funud honno nad oedd Dylan yn hapus. Tynnodd Alan y bocs wyau'n ddistaw.

'Wnaiff hyn mo'r tro o gwbwl,' ochneidiodd Lois. 'Yli, dwi'n meddwl fod gen i'r union beth – mae gan dad hen gôt gŵyr yn y tŷ.'

'Côt gŵyr?' meddai Dylan ac Alan efo'i gilydd.

'Ia, côt gŵyr yr un fath â mae ffermwyr yn eu gwisgo – bydd hwn yn addas mewn unrhyw dywydd. Mae Mam yn wych am wnïo, mi ofynna' i iddi wneud côt gŵyr fach yn arbennig i dy ffitio di Dylan.'

'Ond dwi ddim eisiau i neb wybod 'mod i yma,' meddai Dylan yn boenus.

'Paid â phoeni,' gwenodd Lois, 'Mae gen i grwban tegan yn y tŷ sydd tua'r un maint â chdi, fe gaiff Mam wneud un i ffitio hwnnw.'

'Grêt!' meddai Alan. 'Coda dy galon Dylan bach, fe ddaw Lois a finnau'n ôl bore fory gyda'r gôt berffaith!'

Bu Mam Lois wrthi bron drwy'r nos yn gwneud côt gŵyr fach ddel i'r crwban, er ei bod yn methu deall beth oedd yr holl frys gan Lois. Ni fyddai'n chwarae gyda'r crwban tegan yn aml beth bynnag!

Y bore wedyn, rhuthrodd Alan i nôl Lois a rhedodd y ddau yn llawn cynnwrf tuag at y twll yn y clawdd. Roedd Dylan yn aros amdanynt wrth geg y twll. Yn sydyn, heb rybudd daeth

Moffat o'r tŷ gan garlamu atynt fel anifail gwyllt. Fferrodd Dylan yn ei unfan wrth i Alan geisio'i ddal rhag iddo nesáu at Dylan, ond fel arfer, ni lwyddodd Alan i'w reoli a chyrhaeddodd Moffat y twll. Am funud, edrychodd Moffat a Dylan ar ei gilydd; ysgydwai Moffat ei gynffon yn wyllt cyn mentro mynd â'i drwyn yn nes at Dylan. Ond yn sydyn, brathodd y crwban drwyn Moffat a neidiodd hwnnw gan redeg i guddio y tu ôl i Alan. Roedd Lois wrth ei bodd. 'Da iawn chdi Dylan,' meddai gan chwerthin, 'Rwyt ti wedi dangos i Moffat bod mistar ar fistar mostyn!'

Am unwaith, ni wyddai Alan beth i'w ddweud, felly meddai Lois yn awyddus, 'Wel nawr ta, beth am drio'r gôt?' Unwaith eto, roedd yn rhaid helpu Dylan i wisgo'i gôt newydd. Roedd coler fawr ar y gôt er mwyn iddo roi ei ben i mewn ynddo wrth gysgu neu pan roedd hi'n bwrw glaw, ac roedd ei lliw yn ddigon tebyg i liw cragen crwban.

O'r diwedd, roedd Dylan yn gwisgo'r gôt

ac roedd Lois wedi cau'r sip o dan ei fol yn ofalus. 'O Dylan, rwyt ti'n edrych yn ffantastig!' meddai Lois gyda balchder yn ei llais.

'Cŵl!' meddai Alan.

'Gelli di fynd allan ym mhob tywydd rŵan,' chwardodd Lois.

'Gallaf – mae hon yn berffaith, dwn i ddim sut i ddiolch i chi,' meddai Dylan â gwên lydan, balch.

Roedd hi'n bleser cael helpu,' meddai Lois.

Ac yn wir, dechreuodd cyfeillgarwch agos iawn rhwng y tri a oedd i barhau am flynyddoedd i ddod. Daeth hyd yn oed Moffat yn ffrindiau efo Dylan!

Y noson honno, pan aeth Alan i'w wely, roedd ar fin cau'r llenni pan welodd olygfa ryfedd iawn. Pwy feddyliwch oedd yn cerdded linc-di-lonc yng nghanol y glaw yn ei gôt gŵyr?

Neb llai na Dylan y crwban di-gragen!

NIA DAVIES WILLIAMS

(YN GYFLWYNEDIG I BLANT YSGOL CRUD-Y-WERIN, ABERDARON)

WIL
Y CAWR MAWR SWIL

Treuliai Wil y Cawr Mawr Swil ei holl amser yn bwyta bwyd o bob math.

'Blasus, blasus, blasus!' meddai'r cawr.

Bwytaodd Wil y siocled melys, llyfn hufennog, a fferins o bob siap a llun. 'Blasus, blasus, blasus!' meddai'r cawr drachefn.

Roedd y bwyd mor flasus fel y llyfodd Wil ei wefusau ar ôl pob tamaid. 'Bwyd bwyd, mwy o fwyd – bwyta wnaf drwy'r dydd,' canodd Wil y Cawr Mawr Swil.

Ond druan ohono, doedd ganddo ddim byd arall i'w wneud, ar wahân i fwyta drwy'r dydd a chysgu drwy'r nos.

Eisteddodd Wil o flaen y tân. Codai'r fflamau coch a melyn ac oren yn uchel am y simdde gerrig. Eisteddodd Wil ar ei gadair

fawr bren, oedd â dwy fraich gref iddi.

Am ei fod wedi bwyta cymaint o fwyd, syrthiodd y cawr mawr i gysgu, a dechreuodd chwyrnu.

'Soch, soch, soch,' chwyrnodd y cawr.

Roedd teulu o lygod yn byw mewn twll yn y wal tu ôl i'r piano, ac ofnent y cawr, am ei fod yntau mor fawr a hwythau mor fach.

Crynai'r anifeiliaid bach gan ofn tra cysgai'r cawr.

'Mae sŵn ei chwyrnu fel taranau,' sibrydodd un lygoden ...

Mae'n cerdded yn drwm gan wneud i bobman grynu,' ychwanegodd un arall ...

'Mae Wil y Cawr Mawr Swil yn dal i gysgu,' sibrydodd Llŷr Llygoden.

'Dwi'n teimlo'n ddiogel rŵan,' gwichiodd Lili'r Llygoden Lwyd.

'Fi hefyd,' gwichiodd Lowri chwaer Lili.

Cawr anferth, yn dal o'i gorun i'w sawdl oedd Wil, ac roedd ei ben bron â chyrraedd y to!

Gan ei fod yn gawr mor llydan a chryf, roedd pawb o bobl y dref yn ei ofni.

Galwent hwy ef yn 'gawr drwg' am ei fod yn edrych yn gas iawn.

Siaradai pobl y dref amdano drwy'r amser:

'Yr hen gawr cas, mae o'n beryg bywyd.'

Gorchmynnodd y rhieni nad oedd y plant i fynd ar gyfyl y castell mawr llwyd.

Safai'r giatiau mawr haearn trwm ar waelod y ffordd gul, droellog oedd yn arwain at ddrws y castell ond doedd neb wedi bod trwy ddrws y castell erioed o'r blaen ... NEB!

Yn aml byddai'r cawr yn cyfrif ei arian wrth eistedd ar ei gadair bren anferth o flaen y tân.

Pan glywai'r trigolion y cawr yn cerdded tua'r dref bloeddiai pawb mewn ofn:

'Rhedwch, rhedwch, mae'r cawr ar ei ffordd yma.'

'Brysiwch, mae'r cawr drwg am ein bwyta.'

'Cuddiwch, mae'r cawr ar ei ffordd,' a byddai trigolion y dref yn rhuthro i guddio.

Teimlai Wil y Cawr Mawr Swil yn drist iawn. Crafodd ei ben. Ceisiodd ddyfalu beth allai wneud â'r holl arian. Bu'n meddwl, a meddwl a meddwl ... a meddwl! Ar ôl yr holl feddwl, syrthiodd i gysgu!

Yna ... deffrodd yn sydyn.

'Aha,' gwaeddodd. 'Dwi wedi cael syniad ardderchog!'

Roedd Wil am brofi i holl drigolion y dref nad cawr mawr cas ydoedd ond yn hytrach, cawr cyfeillgar a chlên.

Penderfynodd gynnal gwledd a pharti yn y

castell mawr ar gyfer y trigolion. Yn wir, roedd y castell yn ddigon mawr i gynnal parti ar gyfer chwe thref!

Ar ôl iddi dywyllu, a phan oedd pawb yn y dref yn cysgu, gwisgodd Wil y Cawr Mawr Swil ei gôt fawr wlân a'i het cyn camu'n dawel tua'r dref. Gosododd bosteri i fyny ym mhob man, a gwnaeth yn siŵr ei fod wedi dychwelyd yn ôl i'w gastell mawr cyn iddi wawrio. Roedd hefyd wedi gosod poster ar y giât fawr haearn. Dyma oedd y neges ar y posteri:

PARTI – HENO

AM SAITH O'R GLOCH

YNG NGHASTELL WIL.

DEWCH YN LLU!

CROESO CYNNES I BAWB.

Ond roedd y trigolion yn dal i'w ofni – ofnent i'r cawr mawr eu bwyta.

Teimlai Wil yn unig a thrist. Er ei fod yn gawr mawr, nid oedd yn gas tuag at unrhyw un – ei faint oedd yn eu dychryn!

'Pam mae pawb yn rhedeg i guddio?' holodd wrth ei hun mewn penbleth – nid oedd yn deall pam fod pawb yn rhedeg i guddio pan gerddai am y dref.

Ofnai Wil drigolion y dref hefyd am eu bod yn taflu pethau ato. Roedd yn llawer rhy swil i siarad â nhw.

'Aw, aw, aw!' gwaeddodd Wil.

'Brysiwch, mae'r cawr drwg yn dod!'

Edrychodd Wil o'i gwmpas – gwelodd bethau mân yn hedfan tuag ato.

Beth oeddynt?

Yn ddigalon, cerddodd Wil linc-di-lonc tua'r castell.

Plygodd ei ben a dechreuodd grio. Gorchuddiodd ei wyneb â'i ddwylo – llifodd y dagrau i lawr ei fochau mawr.

'Pam, pam pam?' meddyliodd wrth gerdded. 'Tydw i erioed wedi brifo neb.'

Gwichiodd y giât fawr haearn yn swnllyd wrth i Wil ei hagor, a llusgodd ei draed maint 23 i fyny'r grisiau at ddrws y castell.

Camodd y cawr dros riniog y drws, ac aeth i mewn.

Eisteddodd unwaith eto o flaen y tân. Tynnodd gwdyn melfed coch o ddrôr y dresel, a'i osod yn ofalus ar ei lin.

'Beth alla' i wneud gyda'r holl arian yma?' pendronodd.

'Dwi wedi blino bod ar ben fy hun yn yr hen gastell mawr yma – does gen i 'run ffrind.'

Yr oedd balwnau ym mhob man. Balwnau

coch, oren, melyn, gwyrdd, glas, indigo a fioled, ac edrychent yn ddigon o sioe.

Aeth Wil i'w wely clyd a chysgu'n dawel.

'Soch, soch, soch,' chwyrnodd y cawr.

Y bore canlynol, roedd sŵn cyffro mawr yn y pentref.

'Pwy sy'n cael parti?' gofynnodd Bil y Bwtsiar.

Y cawr mawr!

Ar ôl iddynt ddeall mai yng nghastell y cawr oedd y parti am saith o'r gloch, dechreuodd y rhieni boeni.

'Beth wnawn ni?' gofynnodd Bil y Bwtsiar.

'Beth sy'n digwydd?'

Pam cynnal parti a gwahodd pawb o'r dref?

'Tydi'r plant ddim i fynd ar gyfyl y castell. Dim heno, dim byth!' dywedodd Bil y

Bwtsiar yn gadarn.

Wrth gwrs, roedd y plant bron â thorri'u boliau eisiau mynd.

'Mae stori fod y cawr mawr yn bwyta plant ac anifeiliaid. Dyna pam mae'r cawr mor dew.'

Daeth amser y parti'n agosach. Llawenhaodd Wil, ond roedd cwmwl o dristwch yn gorchuddio'r dref. Roedd y plant yn anhapus iawn am nad oeddynt yn cael mynd i'r parti.

Yn slei, fe drefnodd y plant i gyfarfod wedi iddi dywyllu. Cerddent yn dawel ar flaenau'u traed i fyny'r lôn droellog. Sôn am le! Lle hollol anhygoel!

Roedd balwnau ym mhob man. Wrth ddrws y castell yr oedd bocs mawr yn llawn o anrhegion di-ri!

Yn wir, roedd enw pob un o blant y dref

arnyn nhw – un anrheg i bob un.

Safodd y cawr mawr o flaen y plant, a'u tywys i ystafell gynnes. Roedd cerddoriaeth bop i'w chlywed. Cafodd y plant eu synnu.

'Dawnsiwch, dawnsiwch!' bloeddiodd y cawr. Ac yn wir, dawnsiodd y plant yn hapus iawn.

Yr oedd llawer o bobl wedi tyrru y tu allan – yn ogystal â'r heddlu. Safai'r mamau a'r tadau yno hefyd yn disgwyl ... a ... disgwyl ... a ... disgwyl, ond roedd y plant yn gwenu ac yn bloeddio'n hapus iawn. Croesawodd y cawr pawb i'r castell.

'Dewch i mewn, mae digonedd o fwyd yma ... i bawb!' meddai'r cawr.

'Digonedd i bawb!'

A wyddoch chi beth ddigwyddodd i'r holl friwsion a'r brechdanau oedd ar y llawr? Wel, fe gafodd Lili, Lowri a Llŷr y llygod wledd a hanner. Roedd digon o fwyd i bawb!

Y diwrnod canlynol, daeth postmon i'r castell am y tro cyntaf erioed. Yr oedd ganddo lythyr arbennig yn ei law – llythyr i Wil y Cawr Mawr Swil. Llythyr gan Maer y dref yn diolch iddo am ei garedigrwydd. Dyma oedd cynnwys y llythyr:

Tŷ'r Maer,
Bryn Castell.

Annwyl Wil,

Diolch yn fawr iawn am noson llawn hwyl yn y castell neithiwr. Roedd yn noson werth chweil! Gobeithiaf eich gweld yn amlach yn y dref.

Cofion gorau,

Maer y dref.

'Hwrê! Hwrê! Ffrindiau newydd,' canodd Wil wrth iddo ddawnsio a neidio o amgylch y gadair fawr bren – roedd gan Wil lu o ffrindiau newydd.

Penderfynodd werthu ei gastell mawr llwyd – yr oedd Wil eisiau byw yng nghanol ei ffrindiau newydd.

Casglodd ei eiddo a'u lapio'n ofalus â phapur newydd cyn eu rhoi mewn bocsus.

63

Roedd y bocsus yn rhai mawr iawn – yn ddigon mawr i gadw eiddo cawr. Gorfoleddodd y cawr wrth iddo gerdded i lawr y lon droellog am y tro olaf. Yn ei ddilyn roedd Lili, Lowri a Llŷr y Llygod.

Erbyn hyn, mae Wil yn byw yn y tŷ mwyaf yng nghanol y dref gyda'i ffrindiau newydd. Mae Lili'r Llygoden Lwyd, ei chwaer Lowri a'u brawd Llŷr yn byw yn y tŷ mawr efo Wil. Bydd Lili Llygoden yn eistedd ar lin Wil yn aml iawn, ac mae pawb yn nhref Bryn Castell yn ffrindiau – yn ffrindiau mawr, mawr.

SIONED W. HUGHES DAVIES

BEICWYR BEDLAM A'R FFEILIAU 'LL'

'I: Beicwyr Bedlam,

Pawb i gyfarfod ger bwthyn Ifan Jôs heno am naw. Dewch â sach gysgu a thortsh gyda chi. Byddwch yn barod am noson h-i-r a chyffrous! ... '

Dyna oedd y neges e-bost gan Tim a fflachiai ar gyfrifiaduron pawb. Ar ôl llowcio'u swper, i ffwrdd â Cara, Gethin a Steffan ar eu beics i fyny i'r llecyn uchaf uwchben Cwm Eithin. Roedd Tim yno'n disgwyl yn eiddgar amdanynt ers oriau. 'Croeso, bois!'

Roedd y si ar hyd y fro ers diwrnodau bellach bod rhywbeth rhyfedd iawn yn digwydd yn yr hen chwarel uwchben Cwm Eithin. Roedd rhai o'r pentrefwyr wedi gweld fflach o olau gwyn, llachar, yn ymddangos gefn liw nos i fyny yno. Y golau yma oedd yn ymddangos yn sydyn o nunlle, cyn diflannu'n fwy sydyn byth eto. Roedd 'rhen Ifan Jôs – gŵr 85 oed oedd yn byw ar ei ben ei hun mewn bwthyn rhyw dair milltir o'r chwarel – wedi dychryn am ei fywyd un noson, pan ddigwyddodd weld cysgodion yn dringo'r creigiau yng ngolau'r lloer. Y peth oedd wedi codi'r braw mwyaf arno oedd y ffaith iddo weld un ohonynt trwy ei sbienddrych – rhyw greadur byr mewn siwt o ffoil arian, a phen moel a wyneb gyda dim ond pâr o lygaid fel rhai cath yn sgleinio'n ddu. Dyna oedd y rheswm pam fod Ifan Jôs wedi symud at ei wyres yn y dref am sbel, a pham fod Beicwyr Bedlam wedi cyfarfod ger ei fwthyn gwag y noson honno ... Wedi'r cwbl, roedd hon yn stori a hanner, ac yn un a fyddai'n dod â phump o Gymry ifanc i sylw'r byd a'r betws!

Hanner awr yn ddiweddarach, safai Beicwyr Bedlam ger y giatiau rhydlyd a'r ffens uchel o wifrau oedd yn amgylchynu mynedfa'r chwarel. Aeth Tim ati'n syth i dorri twll yn y gwifrau gyda'r efel weiars a 'fenthyciodd' o fag tŵls ei dad. Cyn pen dim, roedd yna ddigon o fwlch i'r pump ohonynt lithro drwyddo, gan basio'r hen arwyddion coch gyda'u rhybuddion oedd yn dyddio'n ôl hanner canrif: 'PERYGL! – CREIGIAU'N CWYMPO – CADWCH DRAW!'

Roedd hi fel bol buwch yng nghysgod y creigiau garw, du. Roedd pawb wedi diffodd eu tortshis, ac yn dibynnu ar olau gwan y lleuad i sbecian rhwng y cymylau, er mwyn gweld eu ffordd ymlaen. 'Wel, lle mae E.T. 'ta?' sibrydodd Steffan yn ddiamynedd, gan beri i Gethin a Cara biffian chwerthin. 'Tewch!' dwrdiodd Tim. Doedd dim siw na miw heblaw am sŵn traed y plant yn crensian ar y llechi mân, a bref dafad unig ar y clogwyni gerllaw ... Yn sydyn, daliwyd pawb gan fflach o olau gwyn, llachar, a rhuodd clamp o wynt nerthol a chwmwl o fwg dros y lle i gyd. Roedd y fath sŵn yn boddi sgrechiadau Beicwyr Bedlam wrth iddynt neidio i'r llawr mewn braw. Yna, tawelwch llwyr. Tywyllwch. Dim. Pobman yn dawel fel y bedd unwaith eto.

'By ... ba ... be oedd hwnna?' crynodd Cara.

Roedd y gweddill wedi'u parlysu gormod gan ofn i gynnig ateb iddi.

'Ust!' meddai Gethin, a chlustfeiniodd pawb. Oedd, roedd sŵn peiriannau i'w clywed o'u blaen. Peiriannau'r llong ofod efallai?

Cerddodd y pump ar flaenau eu traed i gyfeiriad y sŵn. Swatiodd pawb yn dynn wrth ei gilydd y tu ôl i wal o graig. Roedd y sŵn yn agosach fyth rŵan, a sŵn lleisiau dieithr i'w clywed o bell hefyd. O un i un, gwthiodd y pump eu pennau heibio'r graig, a fferru yn y fan a'r lle. 'Anghredadwy!' ochneidiodd Gethin, 'Arallfydol!' I lawr yn y brif chwarel roedd clamp o long ofod mawr dan lifoleuadau llachar a chwmwl o fwg, a degau o greaduriaid mewn siwt ffoil arian yn cerdded allan o grombil y llong i ganol yr iard. Oedd, roedd ymwelwyr o'r gofod *wedi* glanio yng Nghwm Eithin!

Roedd Cara yn dal i syllu'n gegagored, pan deimlodd law rhywun ar ei hysgwyddau. Trodd ei phen yn araf i weld

67

chwech o fysedd melynwyrdd yn pwyso arni. Trodd ei llygaid i gwrdd â phâr o lygaid duon, sgleiniog, tebyg i rai cath, ac atseiniodd ei sgrechiadau ar draws y chwarel ...

   Y peth nesaf welodd Beicwyr Bedlam oedd criw o bobl – ie, pobl! – gyffredin yr olwg, yn rhedeg dros y lle yn cario clipfyrddau, papurau, offer coluro, meicroffonau a chamerâu. Daeth un gŵr i'r amlwg yn bloeddio a bytheirio 'CYT! CYT!' trwy'r corn siarad fel gwallgofddyn. Roedd yn chwysu fel mochyn yn ei siaced ledr, a'i gap pêl fas gydag 'S4C' arno. 'O ble ddaeth y plant felltith 'ma?!' Yng nghanol y fath stŵr, tybiodd Tim iddo weld Ioan Gruffudd a Catherine Zeta Jones yn diflannu i garafán foethus yr olwg ym mhen pella'r iard. Wrth gwrs! Roedd Beicwyr Bedlam yn amlwg wedi torri ar draws rhyw set ffilm neu'i gilydd!

Do, fe ddaeth Beicwyr Bedlam i sylw'r byd a'r betws, wedi'r cwbl. Wel, neu i sylw darllenwyr papur bro *Clecs y Cwm*, o leiaf. Roedd llun o Cara, Steffan, Tim a Gethin yn gwenu'n braf ar y dudalen flaen, dan y pennawd: 'DATRYS DIRGELWCH Y CHWAREL' a'r is-bennawd, 'SÊR MAWR CYMRU A HOLLYWOOD YN FFILMIO YN Y DIRGEL'. Yn ôl pob sôn roedd S4C yn gweithio gyda chwmni Americanaidd i greu ffilm arbennig o'r enw *Y Ffeiliau LL*, am ymwelwyr o'r gofod yn glanio ar y ddaear – ac roedd pawb wedi cadw'r peth yn dawel er mwyn cael llonydd i ffilmio. Felly, roedd llecyn anghysbell a diddim fel chwarel Cwm Eithin wedi ymddangos yn ddelfrydol dros ben ... hynny yw, hyd nes i griw anturus Beicwyr Bedlam newid pethau'n llwyr!

DYLAN WYN WILLIAMS

BEICWYR BEDLAM
A PHWSI MERI LÊW

'Pws! Pws! Pws! Ty'd yma pws bach ... ty'd i lawr o fan'na, 'y mhwtyn bach del i. Ty'd yn d'ôl at Anti Meri Lêw rŵan. Pws, pws pws pws pw-w-w-w-w-w-s!'

Roedd Meri Lêw wedi bod yn galw a galw ar ei hanifail anwes fel tiwn gron drwy'r bore – byth ers i ryw dderyn ddal sylw'r gath drilliw gan wneud iddi rasio ar ei ôl i ben clamp o goeden dderw ar Stryd Fawr Cwm Eithin. Hedfan i'r awyr yn hollol ddigywilydd wnaeth yr aderyn, gan adael y gath i grynu fel deilen ar y gangen uchaf un, a'i pherchennog yr un mor nerfus wrth wylio o'r ddaear islaw. Roedd Meri Lêw wedi trïo popeth er mwyn cael ei chath yn ôl wrth ei hochr – o chwifio macrell ffres yn yr awyr, i osod tuniau o fwyd cath mewn cylch rownd y goeden fel cerrig yr orsedd. Roedd amryw o drigolion y pentref wedi bod yn piffian chwerthin o weld yr hen wraig yn sefyll wrth droed y goeden yn ei slipars a'i gŵn nos, a'i gwallt o dan rwyden a rholeri. Doedd gan neb ysgol ddringo oedd yn ddigon uchel i gyrraedd pen y goeden. 'Gadewch iddi Meri Lewis, mi ddoith yr hen gath i lawr yn ei hamser ei hun!' oedd eu cyngor iddi, ond fyddaiwaeth iddyn nhw siarad efo'r wal ddim.

Roedd yr hen wraig yn dal yno ganol dydd, pan basiodd Beicwyr Bedlam heibio ar eu ffordd adref o'r ysgol i gael tamaid o ginio. 'Unrhyw lwc, Misus Meri Lewis?' holodd Gethin yn ddiniwed i gyd. 'Grasusa! Peidiwch â gofyn peth mor wirion, hogyn!' brathodd Meri Lêw, a throi i weiddi 'pws!' unwaith eto yn ei llais crug. 'Allen ni wneud rhywbeth i'ch helpu chi, Misus Lêw?' ebe Tim. 'Gallwch – os fedrwch chi hedfan deugain troedfedd i fyny fan'cw!' oedd ei hateb miniog. 'Ond, mi fedran ni ei dringo hi'n reit hawdd rŵan hyn,' mentrodd Cara, 'a ninna'n giamstar ar gymnasteg yn yr ysgol. Wel hogia, 'da chi'n gêm?' holodd wrth y tri arall. 'Ond, be am y cinio ... ?' protestiodd Steffan, gan feddwl am blatiad blasus o sosej a sglods mewn môr o ffa pob. 'Hisht,

Steffan!' meddai Cara, gan freuddwydio am gael puntan neu ddwy yn wobr gan Meri Lêw – yn enwedig o gofio bod yr hen wraig yn llwyddiannus gyda'r bingo yn aml.

Ac felly'r oedd hi. Gadawodd y criw eu helmedau beicio am eu pennau, er diogelwch, a dechrau dringo'r canghennau trwchus o gam i gam. Cara oedd ar y blaen, a rhoddodd orchymyn i'r bechgyn sefyll ar wahanol lefelau o'r goeden er mwyn pasio'r gath o law i law ac yn ôl i freichiau diolchgar Meri Lêw. Erbyn hyn, roedd ambell un o'r pentrefwyr wedi dod heibio i gael sbec, a mamau'r plant yn eu plith gyda'u 'Meiddiwch chi â difetha'ch dillad ysgol!'

Ymhen hir a hwyr, roedd Carla wedi llwyddo i ddringo i fyny trwy'r jyngl o ddail, ac o fewn trwch blewyn bach o afael yn y gath grynedig. 'T-tyrd, pws,' sibrydodd, a'i chalon yn curo fel gordd wrth iddi siglo gyda'r gwynt ar y gangen. Ar y gangen islaw, roedd Steffan yn dechrau mynd yn ddiamynedd wrth feddwl fwyfwy am ei fol. Edrychodd ar ei wats, a gweld mai dim ond cwta ugain munud oedd yn weddill o'r awr ginio. 'Reit,' meddyliodd yn dawel iddo'i hun, 'mi wn i am ffordd well o gael yr hen gath wirion 'ma yn ôl ar y ddaear!', a dechreuodd gyfarth yn uchel fel ci Rotweiler ffyrnig. Neidiodd pob blewyn ar gôt y gath i fyny fel nodwyddau, cyn iddi roi gwich o ofn, a sgrialu rhwng y dail a'r brigau fel seren wib. Cyn pen dim, roedd y gath wedi diflannu i fewn trwy ddrws ffrynt tŷ Meri Lêw, a'r hen wraig yn rhedeg yn sionc ar ei hôl. Islaw, roedd y dyrfa yn clapio ac yn cymeradwyo diwedd y ddrama fach hon. 'Reit dda chi, Beicwyr Bedlam! Mi gewch chi wobr fach neis gan 'rhen Feri Lêw, gewch chi weld.'

Neidiodd y tri bachgen yn ôl i'r llawr, yn fodlon braf. Ond, doedd dim golwg o Cara. Syllodd pawb i fyny i'r awyr. Yno roedd Cara yn crafangu'n dynn, dynn at y gangen uchaf, a'i hwyneb yr un lliw â phowdwr golchi dillad. 'Help!' gwaeddodd o bell, 'mae … mae gen i o-o-o-ofn dŵad i lawr …'

Chwarter awr yn ddiweddarach, roedd Cara yn estyn o ben y goeden dderw mewn lifft injan dân, gyda bron hanner y pentref wedi picio draw i wylio'r sioe. Erbyn hyn, roedd ei hwyneb yn fflamgoch gan gywilydd. Chafodd y plant mo'u cinio yn y diwedd, gan fod cloch yr ysgol wedi canu ar gyfer gwersi'r pnawn. Ond, draw yng nghegin Meri Lêw, roedd y gath drilliw yn cael modd i fyw gyda'i gwledd o bysgod ffres a bwydydd tun di-ri ...

DYLAN WYN WILLIAMS

Caleb ar ei Wyliau

Roedd Caleb wedi cynhyrfu'n lân. Heddiw oedd diwrnod cyntaf ei wyliau, ac roedd yn ysu am gael gwybod i ble roedd am fynd eleni. Roedd y trefniadau i gyd yng ngofal Capten Iolo, ac ni fyddai Caleb yn cael gwybod tan yr eiliad olaf.

'WWWWSH!' Neidiodd Caleb i fyny i'r awyr. 'Beth yn y byd oedd y sŵn 'na? Be sy'n digwydd?'

Yn sydyn, agorodd y drysau mawr yng nghefn y cwt. Yno, yn gwenu o glust i glust, roedd Capten Iolo. 'Bore da, Caleb. Barod am dy wyliau?' Pe bai Capten Iolo ond yn gwybod – roedd Caleb druan wedi bod yn barod ers y noson gynt.

Yna, sylwodd Caleb ar lorri las a melyn

anferth oedd wedi'i pharcio'n dwt y tu allan. Ar ben y lorri, roedd Ifor y Craen yn wincio ar Caleb, ac o fewn dim, roedd wedi codi Caleb i fyny i'r awyr, a'i osod yn ofalus ar ben y lorri. Dyma be oedd dechrau da i'r gwyliau, ond nid oedd ganddo'r syniad lleia i ble'r oedden nhw'n mynd chwaith.

'WWWWSH!' rhyddhaodd y lorri ei brêcs unwaith eto, ac i ffwrdd â nhw!

Ond ni allai Caleb aros mwy. Gwaeddodd ar Gapten Iolo, 'I ble 'dan ni'n mynd?'

Trodd Capten Iolo ato, gan wenu'n braf. 'Caerdydd, Caleb – prifddinas Cymru. Rwyt ti'n mynd am wythnos gyfan i Eisteddfod yr Urdd, er mwyn i bawb dy weld di.' Wel! Roedd Caleb wedi clywed am Eisteddfod yr Urdd o'r blaen, ond nid oedd wedi bod yno. Mae'n amlwg mai dyma fyddai'r gwyliau gorau erioed, a mewiai Haf y gath nerth ei phen.

Dyna braf oedd gweld y wlad, y coed,

anifeiliaid, a wynebau pobl wrth iddynt wylio Caleb yn rhuthro heibio ar gefn y lorri. Codai pawb eu breichiau gan weiddi 'HWRÊ!' wrth i Caleb ganu ei seiren yn llawn hwyl.

Roedd y daith yn fendigedig, a chyn pen dim, roeddent wedi cyrraedd Maes yr Eisteddfod. Cafodd Caleb ei synnu o weld lle mor fawr.

'Yn y babell fawr yna yn y canol mae pawb yn cystadlu, Caleb,' meddai Capten Iolo. 'Canu, llefaru, chwarae offerynnau a dawnsio – i enwi ond ychydig o bethau.' Ysai Caleb am gael mynd i mewn i weld be oedd yn digwydd, ond fel mae pawb sy'n adnabod Caleb yn gwybod, roedd braidd yn rhy fawr i fynd drwy'r drysau. Digalonnodd am ychydig, ond gwellodd drwyddo o weld glan yr afon lle'r oedd i aros am yr wythnos.

'Afon Taf ydi hon, Caleb. Petai hi'n ddigon dwfn a heb unrhyw bontydd yn ei chroesi, fe fuaswn i'n gallu dy hwylio di'n ôl adref.' Gwenodd Capten Iolo ar Caleb, ond roedd hi'n amlwg nad oedd Caleb yn gwrando ar yr un gair. Roedd yn rhy brysur yn gwylio rhywbeth bach du yn nesáu tuag atynt ar yr afon.

Cyn i Caleb gael cyfle i agor ei geg, 'Helô,' meddai'r peth bach du. 'Catrin y Cwrwgl ydw i. Croeso i Faes Eisteddfod yr Urdd!'

'Diolch, Catrin! Caleb ydw i, gyda llaw.'

'Dwi'n gwbod. Rwyt ti'n gwch achub enwog iawn, Caleb,' meddai Catrin.

Gwridodd Caleb. 'Mae'n ddrwg calon gen i, ond dwi erioed wedi gweld cwrwgl o'r blaen. Be'n union wyt ti'n 'i wneud?'

'Gweithio ar yr afon a rhwydo am bysgod,' meddai Catrin.

Gwenodd Caleb yn ddistaw bach wrth geisio dychmygu cwch mor fach yn defnyddio rhwyd, o'i gymharu â'r cychod pysgota mawr ar y môr.

'Gwranda – mi eglura i'n well yn nes ymlaen. Rwyt ti a fi'n rhannu'r un safle fan hyn ar lan yr afon. Hwyl am y tro.' Ac i ffwrdd â hi unwaith eto at ei gwaith.

Y noson honno wrth i Haf y gath gysgu'n drwm, sgwrsiodd y ddau ffrind am oriau, ac eglurodd Catrin bopeth wrth Caleb am ei gwaith ar yr afon. Dysgodd Caleb sut roedd bywyd y cwrwgl yn diflannu'n ara deg, a chafodd fraw pan glywodd mai Catrin oedd yr unig un ar ôl o'r holl ffrindiau oedd yn arfer gweithio'r rhan yma o'r afon. Aeth Catrin yn drist i gyd pan ddywedodd nad oedd yn siŵr am ba mor hir y byddai hi yma eto.

Cysgodd y ddau yn hwyr y bore wedyn gan eu bod wedi siarad cymaint y noson gynt.

'Deffra Caleb, mae 'na bobl yma i dy weld di. Ty'd rŵan er mwyn i ti gael dangos dy hun,' meddai Capten Iolo yn ei glust. Yno o'i flaen, roedd llond lle o bobl yn gwenu arno.

Oedd, roedd bywyd yn braf, penderfynodd Caleb. Gwrando ar y cystadlu o'r babell fawr drwy'r dydd, tra'n gwylio'i ffrind newydd, Catrin, yn symud i fyny ac i lawr yr afon yn dangos ei sgiliau. Llithrodd un diwrnod i fewn i'r nesaf, ond un prynhawn, wrth i Caleb gau ei lygaid yng ngwres yr haul, clywodd floedd wrth ei ymyl.

'HELP! HELP!' O, na! Roedd yna blentyn bach wedi syrthio i mewn i'r afon, ac roedd y llif yn ei dynnu i lawr o dan y dŵr. Doedd dim amdani, ond rhuthro at y sleid gychod ac i mewn i'r dŵr. Ond ... be oedd yn digwydd? Nid oedd yn symud! Yna cofiodd yn sydyn nad yn y cwt yr ydoedd, ond ar gefn lorri yng Nghaerdydd.

'Taflu rhaff!' meddyliodd. Ond na, roedd y bachgen bach yn rhy bell. Ble'n y byd oedd Capten Iolo! Teimlai Caleb yn ofnadwy am na fedrai wneud dim oll i helpu.

Yna, clywodd weiddi mawr o ganol afon

Taf. Edrychodd draw at y sŵn, a dyna lle'r oedd Catrin yn mynd fel cath i gythraul tuag at yr hogyn bach. Cyrhaeddodd y cwrwgl dewr y bachgen fel yr oedd yn diflannu o dan y dŵr am y tro olaf.

'HWRÊ!' Canodd Caleb ei seiren wrth i Catrin lusgo'r hogyn bach yn ddiogel at y lan. 'Diolch byth dy fod ti yma. Doeddwn i ddim wedi sylweddoli pa mor beryg all afon fod,' meddai Caleb wrth groesawu Catrin yn ôl i'r lan.

'Mae'n beryg iawn,' meddai Catrin. 'Mae'r llif yn gallu dy dynnu di oddi ar dy draed mewn eiliadau, a dy lusgo di i lawr i'r dyfnderoedd.'

'Wel, dwi wedi dysgu gwers bwysig iawn heddiw. Nid y môr yn unig sy'n beryg, ond afonydd a llynnoedd hefyd, yntê?'

Yna, gwenodd Caleb. Roedd wedi cael syniad gwych. 'Catrin, rwyt ti'n andros o gwch achub da. Mae croeso i ti ddŵad i fyw

hefo fi wrth ymyl y môr os na chei di aros ar yr afon yma. Mi ddylet ti fod yn gwch achub, na, mae'n ddrwg gen i, cwrwgl achub afonydd. Syniad da, yn tydi?'

Gwenodd Catrin yn ôl arno. Roedd hi a Caleb wedi dod yn ffrindiau mawr dros wythnos Eisteddfod yr Urdd.

Ond, fel mae pawb yn gwybod, mae'n rhaid i bopeth da ddod i ben, a heb i Caleb a Catrin sylwi, roedd diwrnod olaf yr Eisteddfod wedi cyrraedd. Y prynhawn hwnnw, safai'r côr buddugol ar ddeciau Caleb i gynnal cyngerdd. Ac yno, o flaen Catrin a Caleb, roedd cwmni ffilmio teledu. Oeddent, roedd y ddau ohonynt yn mynd i fod yn enwog ar hyd a lled Cymru y noson honno.

Edrychodd Capten Iolo ar y ddau gwch bach hapus o'i flaen, a gwenodd yn braf. Oedd wir, penderfynodd, roedd Caleb y Cwch Achub wedi syrthio mewn cariad.

DAFYDD HARRIS-DAVIES

SYNIAD DYCHRYNLLYD!

Diwrnod Calan Gaeaf oedd hi, ac roedd Miss Huws am gynnal parti gwisg ffansi yn yr ysgol.

Penderfynodd Idwal a Jac ei ffrind gorau wisgo fel bwganod blewog, dychrynllyd ac erchyll!

Yn yr ysgol amser cinio roedd Idwal a Jac wrthi'n trafod y parti pan ddaeth Dicw heibio yn sŵn i gyd.

'Ydach chi'ch dau'n mynd i'r parti Calan Gaeaf ta?' gofynnodd.

'Ydan,' atebodd Idwal yn dawel, oherwydd roedd ganddo ofn Dicw braidd. Bachgen mawr blwyddyn pump oedd Dicw.

'Fel be rydach chi am fynd?' holodd Dicw wedyn.

'Fel bwganod,' atebodd Jac.

Chwarddodd Dicw dros y buarth a dweud:

'Fydd ddim rhaid i chi newid felly, rydach chi'n edrych fel bwganod yn barod!'

Yna meddai'n gas:

'Gobeithio na fydd yr hen ddafad ddrewllyd yna'n agos i'r parti beth bynnag, neu fydd neb yn medru bwyta'r afalau taffi.'

Doedd Idwal erioed wedi meddwl fod Rosmari'n ddrewllyd o'r blaen, ond efallai fod ei gwlân braidd yn fudur.

'Mam,' meddai Idwal ar ôl dod adref o'r ysgol. 'Mam, ga i fenthyg shampŵ'r babi?'

'I be wyt ti eisiau shampŵ'r babi?' holodd Mam.

'Rhaid i mi olchi fy ngwallt cyn y parti a dydi shampŵ'r babi ddim yn llosgi fy llygaid,' atebodd Idwal a rhoi clamp o winc ar Jac. Roedd Jac wedi dod adre gydag ef i gael te.

'Mae o yn y cwpwrdd, ond paid â defnyddio gormod, a phaid â bod yn hir – rhaid i ni ddechrau ar droi'r ddau ohonoch yn fwganod cyn bo hir!' meddai Mam yn hapus.

Aeth Idwal a Jac allan i chwilio am Rosmari.

'Tyrd, rhaid i ti gael cawod,' meddai Idwal.

'Mee nee,' atebodd Rosmari. Doedd hi ddim yn hoff iawn o ddŵr; roedd hi'n cofio sut aeth Idwal â hi i'r pwll nofio un tro!

'Neee,' brefodd Rosmari'n drist.

'Rhaid i ti gael cawod os wyt ti am ddod i'r parti,' meddai Idwal wedyn, 'ac mi gei di afal taffi,' meddai Jac.

'Mee,' cytunodd Rosmari, gan ddilyn Idwal a Jac i'r tŷ'n ddistaw bach.

Tra oedd Mam yn helpu Jac i droi'n fwgan, stwffiodd Idwal Rosmari o dan y gawod. Rhwbiodd shampŵ'r babi dros ei gwlân i gyd. Agorodd Rosmari ei cheg yn llydan.

'Mmm, mee,' meddai wrth i'r shampŵ ddiferu dros ei thrwyn, ac i mewn i'w cheg.

Roedd Rosmari wrth ei bodd!

Yna aeth Idwal ati i sychu ei gwlân efo'r

sychwr gwallt nes bod gwlân gwyn Rosmari'n sefyll i fyny fel nodwyddau draenog. Ew, roedd Rosmari'n smart.

'Dyna ti Rosi,' meddai Idwal, cer at y ffordd i aros am Jac a finna, a chofia – paid â gadael i Mam dy weld di.

'Mee,' cytunodd Rosmari, ac i ffwrdd â hi.

Roedd hi'n noson oer, a doedd gwlân Rosmari ddim wedi sychu'n dda iawn. Yn fuan, dechreuodd Rosmari druan disian dros y wlad. Ac roedd y shampŵ'n cosi ei gwddw. Ceisiodd frefu, ond rhyw sŵn rhyfedd ddaeth allan:

'Bw aaatishwww bwww.'

Ond cofiodd am yr afalau taffi, felly carlamodd nerth ei charnau i lawr y ffordd tua'r ysgol.

Cyn pen dau funud, roedd Idwal a Jac yn barod; roedd y ddau wedi gwisgo hen gynfasau amdanynt, ac roedd Mam wedi lliwio eu hwynebau'n wyn, ac wedi rhoi cysgod du o amgylch eu llygaid.

Roedd Mam wedi rhoi saim yng ngwallt Jac i wneud i'w wallt sefyll i fyny, ac roedd y babi wedi helpu trwy rwbio jam mefus yng ngwallt Idwal. Edrychai'r ddau'n ddychrynllyd ac erchyll iawn.

Erbyn iddynt gyrraedd yr ysgol, roedd Jac ac Idwal wedi dychryn y babi a Mam – a nhw eu hunain hefyd braidd. Ond doedd dim sôn am Rosmari yn unlle. 'Mae'n rhaid ei bod hithau wedi dychryn hefyd ac wedi mynd i guddio yn y tŷ gwair,' meddyliodd Idwal.

Roedden nhw wrthi'n cnoi eu hafalau taffi pan glywodd Miss Huws sŵn ofnadwy yn dod o'r buarth.

Rhuthrodd pawb at y drws, a dyna lle'r oedd Dicw'n bloeddio dros y lle.

'ANGHENFIL!' sgrechiodd.

'Un b ... b ... blewog, erchyll a dychryn-

llyd,' bloeddiodd wedyn gan bwyntio tua'r ffordd mewn ofn.

'Un gwyn, tebyg i ddraenog anferth, a rhywbeth gwyn tebyg i swigod yn dod o'i geg,' meddai dan grynu, 'ac mae o wedi dwyn fy afal taffi.' Dechreuodd Dicw floeddio crio dros y lle.

Syllodd pawb i'r tywyllwch. Roedd Miss

Huws wedi dychryn braidd hefyd, a phan ddaeth trwyn du'r anghenfil i'r golwg, neidiodd pawb y tu ôl i Miss Huws – pawb ond Idwal.

'Bw aaatishw Bw,' meddai'r anghenfil, a charlamu tuag at Idwal.

Rhedodd pawb yn ôl i mewn i'r ysgol, gan sgrechian. Welodd neb Idwal yn rhoi afal taffi mawr yn wobr i Rosmari cyn ei gyrru adref.

Yn ei wely y noson honno, teimlai Idwal yn hapus braf. Doedd o ddim yn meddwl y byddai'n cael trafferth gyda Dicw eto – diolch i'r bwgan dychrynllyd.

Dyna beth oedd syniad dychrynllyd o dda meddyliodd Idwal, gan swatio o dan ddillad y gwely.

HAF LLEWELYN

Beicwyr Bedlam
a Dirgelwch Drws-y-coed

'Brysiwch! Rhowch eich cotiau amdanoch a dewch allan ar eich beics! Rŵan hyn!'

Steffan oedd yn siarad yn llawn cyffro o'r stryd. Uwchlaw, ymddangosai wynebau syn Cara, Tim a Gethin yn ffenestr y llofft; roeddynt wedi cael eu tarfu ar ganol gêm gyfrifiadur cyffrous. Aeth Steffan yn ei flaen yn llawn stêm.

'Drws-y-coed! Mae 'na rywun – neu rywbeth yn Drws-y-coed! Brysiwch!'

Chwarddodd Gethin. 'Am be mae o'n rwdlian! Does 'na neb wedi byw yn fan'no ers bron i ddeng mlynedd!' meddai Gethin, 'be dach chi'n ddweud Tim a Car? ... Ond fyddai'n waeth iddo siarad â'r wal ddim. Doedd dim amdani ond diffodd y cyfrifiadur a mentro allan i'r nos rewllyd at y Beicwyr Bedlam. Rhuthrodd y tri allan o'r llofft, a lapio côt a sgarff a het amdanynt, cyn ymuno â Steffan ar eu beics.

Wrth iddynt droelli allan o olwg Rhesdai Bedlam a dilyn yr hen ffordd dyrpeg a arweiniai at Drws-y-coed, adroddodd Steffan ei stori. Roedd wedi digwydd edrych i

94

fyny'r bryn wrth basio yn y car efo'i dad yn gynharach y noson honno, a gweld fflachiadau o olau yn dod o gyfeiriad y bwthyn. Ond doedd y peth ddim yn gwneud synnwyr, meddyliodd y criw. Tŷ haf oedd y lle flynyddoedd yn ôl, ond roedd wedi bod yn wag byth ers i'r cwpl diwethaf godi pac a symud yn ôl i Firmingham, ac yn sicr, doedd neb yn ardal Cwm Eithin wedi clywed am rywun yn prynu'r lle yn ddiweddar. Dyna pam fod stori Steffan yn gymaint o ddirgelwch, wrth i'r pedwar stopio'n stond o dan yr hen arwydd 'AR WERTH' ger giât ffrynt rhydlyd y bwthyn moel.

Pasiodd hanner awr, ac roedd pobman yn dal i fod yn dawel fel y bedd. Ar wahân i ambell gri rhyw dylluan unig, doedd dim siw na miw i'w glywed gan fod yr afon fach gerllaw wedi rhewi'n gorn. Pwyntiai canghennau'r coed allan i'r düwch fel bysedd pigfain. Swatiai'r pedwar i'w gilydd yn dynn yng nghysgod wal garreg yr ardd. Ochneidiodd Gethin yn ddiflas; pendwmpiai Cara, a thisiodd Tim. Dim ond Steffan oedd yn canolbwyntio ar y bwthyn, a gwibiai ei ddychymyg fel trên!

'Dwi'n siŵr mai lleidr sydd yna w'chi ... neu drempyn efallai ... neu ... neu ysbryd merch Drws-y-coed ... honna wnaeth dorri'i chalon a marw – Margaret neu rywbeth – ar ôl i'w chariad gael ei ladd yn y Rhyfel Byd Cyntaf.'

'Ysbryd?' wfftiodd Cara. 'Rwyt ti wedi bod yn gwylio gormod o'r hen fideos arswyd gwirion 'na,' ac aeth Steffan a

Cara yn eu blaenau i ffraeo a dadlau ymysg ei gilydd fel ci a chath.

'Hisht!' sibrydodd Tim yn sydyn, gan bwyntio'i fys at y bwthyn â'i lygaid fel soseri. Roedd hyd yn oed y dylluan wedi tewi. Oedd wir, roedd yna olau gwyn yn sbecian o rywle yng nghrombil y bwthyn – rhyw fflach eiliadau o hyd oedd yn diffodd am sbel cyn ymddangos o nunlle eto. Roedd Steffan yn iawn wedi'r cyfan. Roedd rhywun – neu rywbeth – yn Nrws-y-coed!

'Dyna chi! Ddeudais i, do?' meddai'n falch i gyd.

'Oooo!' crynodd Gethin, 'y ... beth am i ni fynd yn ôl at y gêm cyfrifiadur 'na ... '

Torrodd Tim ar ei draws yn llawn cynnwrf, 'Beth oedd hwnna?'

'Does dim ond un ffordd o ffeindio allan!' atebodd Cara, gan ddechrau cerdded ar flaenau ei thraed at y bwthyn. Syllodd y bechgyn arni'n gegagored, ac yna'i dilyn fel malwod, un ar ôl y llall. Ymhen hir a hwyr, roeddynt ar eu pengliniau ar lawr wrth un o'r ffenestri. Daeth fflach arall o olau. Fferrodd y pedwar fel delw. Tawelodd y gwynt. Roedd fel pe bai'r byd wedi aros yn yr unfan. Mentrodd Cara gam yn nes at y ffenestr. Gwyliodd y bechgyn hi'n codi'i phen yn araf bach at sil y ffenestr, aros yn stond a hoelio'i llygaid ar y tywyllwch heibio'r llenni rhwyd ... ac

yna'n bloeddio'n sydyn wrth i'r golau fflachio yn ei hwyneb. Disgynnodd ar ei phen-ôl i'r llawr mewn braw, a charlamodd y bechgyn ar wib i guddio tu ôl i'r wal gerrig gerllaw, wedi dychryn am eu bywydau!

Yn sydyn, roedd sŵn rhyfedd i'w glywed yn llenwi'r lle. Rhyfedd iawn, o dan yr amgylchiadau! Sŵn chwerthin diddiwedd! Mentrodd Steffan, Tim a Gethin i gael cip dros y wal. Yno o'u blaenau, yn ei dyblau ar lawr yr ardd, roedd Cara. Edrychodd y bechgyn yn hollol syn ar ei gilydd mewn penbleth a syndod.

Yn y man, daeth Cara ati'i hun. 'Hei! Dewch o'na, babis mam!' gwaeddodd, 'dewch ar f'ôl i!', a diflannodd heibio cefn y tŷ.

Erbyn i'r bechgyn ddal i fyny efo Cara, roedd hi'n sefyll wrth garreg y drws ac yn edrych yn syth o'i blaen. Roedd pelydrau cryf fflachlamp i'w gweld yn goleuo cloddiau a chorneli'r cae gerllaw – ffermwr yn cerdded o gwmpas yn cael cipolwg ar ei ddefaid oedd ar ganol wyna. Eglurodd Cara fod golau'r fflachlamp yn taro'r bwthyn o dro i dro, ac yn adlewyrchu yn y drych enfawr hen ffasiwn a hongiai ar wal lolfa Drws-y-coed, gan oleuo'r ystafell i gyd!

'Dyna fo dy "ysbryd" di felly!', meddai gan bwffian chwerthin wrth gerdded yn ôl at ei beic.

Gwyliodd y pedwar yn dringo ar eu beiciau, ac yn mynd i lawr y ffordd dyrpeg nes diflannu i'r nos. Ochneidiodd Marged yn ddwfn. O! roedd hi mor unig yn yr hen le ar ei phen ei hun. Syllodd allan yn ddisgwylgar drwy'r ffenestr

eto. Syllu ac aros yn hiraethus amdano ef, ei chariad, i ddychwelyd o'r hen Ryfel erchyll yn Ewrop, yn ôl ati hi yn Nrws-y-coed ...

DYLAN WYN WILLIAMS

Beicwyr Bedlam
a'r Disgo

Disgo
YN NEUADD Y PENTREF
HENO AM 8 O'R GLOCH
YNG NGHWMNI'R GRŴP GWYCH
O GAERDYDD:

SEGA!

A CHOFIWCH - BYDDWCH YN CŴL -
NID YN FFŴL!"

Dyna oedd y neges ar y posteri llachar oedd i'w gweld ar bob polyn teleffon a ffens ar hyd a lled Cwm Eithin. Y disgo yma oedd y prif bwnc trafod ar iard yr ysgol, a thestun negeseuon e-bost di-ri rhwng y plant â'i gilydd. Roedd llawer o'r plant wedi bod yng nghartrefi'i gilydd gyda'r nos yn ymarfer dawnsfeydd unigryw y band cam wrth gam (yn lle adolygu at ryw brawf Mathemateg neu'i gilydd!). Efallai nad oedd Mr Siôn Syms yn hapus iawn ynglŷn â hynny, ond nid bob dydd oedd un o brif sêr Cymru yn ymweld â'r ardal – yn enwedig grŵp yn cynnwys pishyns mor ddel â Sali, Eli, Gari ac Ali, neu SEGA i bawb oedd yn giamstars ar ganu pop Cymraeg!

Bu ond y dim i'r cyfan gael ei ohirio oherwydd stormydd geirwon ganol Tachwedd. Roedd Morus y Corwynt ac Ifan y Glaw Taranau wedi gadael eu hôl ar hyd y fro, gan ddadwreiddio coed a'u gadael fel sgerbydau dros y lle a chreu llynnoedd budr ar fryn a dôl. Ond heno, roedd pobman yn dawel – ar wahân i sŵn cerddoriaeth a chymeradwyo mawr a ddeuai o Neuadd y Pentref ...

Roedd Beicwyr Bedlam yn gallu synhwyro fod rhywbeth arbennig ar droed ymhell cyn iddyn nhw gyrraedd yno. Stopiodd y pedwar eu beics, a syllu ar y Neuadd islaw. Roedd goleuadau amryliw'r disgo yn goleuo'r nos, a bît y drymiau'n drybowndio dan eu traed. 'Waw! Mae'n swnio'n hollol, hollol, anhygoel,' ebychodd Gethin gan afael yn dynn, dynn yn ei lyfr llofnodion. 'Alla' i ddim credu 'mod i ar fin gweld fy arwyr yn fyw ar y llwyfan!' meddai Steffan, gan freuddwydio am gael sws wlyb gan Sali ac Eli siapus. 'Na finna, chwaith,' ochneidiodd Cara yn hapus, gan freuddwydio am gael ei lapio ym mreichiau cyhyrog Gari ac Ali! Ond, tra oedd y lleill yn gwenu fel giatiau, roedd rhywbeth yn poeni Tim yn fawr iawn. 'Y – bois ... 'sa i ishe difetha'ch hwyl chi, ond edrychwch ar y goeden ger y

Neuadd'. Trodd y tri arall i edrych. 'Welwch chi'r perygl?'

Ochneidiodd y tri arall fel parti unsain. Roedd yr hen goeden dderw yn gwyro'n beryglus o agos dros do'r Neuadd. I wneud pethau'n ganmil gwaeth, roedd hi wedi codi'n wynt eto ac roedd y dail yn chwyrlïo i bobman. 'Mae'n rhaid i ni rybuddio pawb i adael ar unwaith, cyn i'r goeden gwympo ar eu pennau nhw – dewch giang!' meddai Tim, gan arwain y criw ar eu beics i lawr y lôn serth tua'r Neuadd Bentref ...

Ar ôl cyrraedd y fynedfa, suddodd calonnau Beicwyr Bedlam. Roedd y lle dan ei sang, gyda channoedd o gyrff chwyslyd, hapus, yn neidio a dawnsio i'r bît uchel. 'Beth ydyn ni'n mynd i'w wneud?' gwaeddodd Cara yn erbyn sŵn uchel y syntheseisydd.

'Beth am ganu'r larwm tân, i gael gwagio'r lle 'ma mewn dau funud,' awgrymodd Steffan.

Wfftio hynny wnaeth Gethin. 'Be? Creu panig mawr, ac achosi i 400 o blant ruthro fel ffyliaid am yr allanfa?'

'Ocê, ocê!' torrodd Tim ar eu traws, 'dim ond un ffordd sydd i wagio'r Neuadd yma'n ddiogel. Dilynwch fi!'

Brasgamodd Beicwyr Bedlam drwy'r balwnau a'r baneri lliwgar yn y cyntedd, llithro heibio criw o warchodwyr diogelwch y band, a neidio i fyny i'r llwyfan. Roedd criw Sega ar ganol un o'u sesiynau dawnsio acrobatig arferol, ond fe lwyddodd Tim i dynnu sylw Ali. Gwaeddodd yng nghlust Ali, cyn i warchodwr nerthol ei dynnu'n ôl heb bw na be. Cafodd Beicwyr Bedlam eu cario o'r llwyfan dan brotestio, a'u taflu allan i'r nos yn gwbl ddiseremoni. Dechreuodd Cara weiddi, 'Ond, mae 'na goeden ar fin ... ' ond yn ofer. Anwybyddodd y gwarchodwyr ei chri, a chau'r drws yn glep yn ei hwyneb.

Safodd y pedwar yn fud. Uwchlaw, roedd y goeden yn edrych yn fwyfwy simsan ac fel petai'n griddfanu yn y gwynt. Dechreuodd pawb anobeithio'n llwyr a dagrau o ofn yn cronni'n eu llygaid ... Yn sydyn, agorodd drws y Neuadd yn chwap, a daeth criw Sega allan – a'r plant yn eu dilyn gan ddawnsio'r conga yn un rhes hir dan lafarganu 'Byddwch yn cŵl, nid yn ffŵl!' Ymunodd Beicwyr Bedlam â'r cyfan, ar ôl deall beth oedd eu gêm. Aeth y congo nadreddog i fyny'r lôn nes dod i stop ar ben y bryn gyda phawb allan o wynt yn lân ac yn morio chwerthin. Roedd hyd yn oed y gwarchodwyr syber yn gwenu rhywfaint! Yn sydyn, daeth chwa o wynt cryf o rywle a gwaeddodd rhywun o ganol y dorf.

'Rargian! Edrychwch ar y Neuadd!'

Fel golygfa allan o ffilm araf, fe welodd pawb y goeden yn gwegian gyda'r gwynt ac yn disgyn yn glep ar y to. Chwalodd y llechi a'r trawstiau pren, torrodd y ffenestri'n deilchion a rholiodd y waliau cerrig i'r llawr. Yna, distawrwydd llethol wrth i 400 o blant ffodus dros ben syllu'n gegagored ar y dinistr islaw ...

Bythefnos yn ddiweddarach, cafodd plant Cwm Eithin i gyd fynd ar wibdaith arbennig i stiwdios Sega ym Mae Caerdydd. Fe gawson nhw fod yn rhan o'r gynulleidfa ar gyfer recordiad o raglen deledu arbennig ar gyfer y Nadolig, sef *Sega Siôn Corn*. Cafodd Beicwyr Bedlam eistedd yn y seddi gorau ar y rhes flaen, yn wobr am dynnu sylw Ali at berygl y goeden dderw – ac a barodd i Ali drefnu gyda gweddill y grŵp i ffugio dawns newydd er mwyn denu'r plant allan o'r Neuadd. Heb os nac oni bai, roedd Beicwyr Bedlam yn griw cŵl dros ben!

DYLAN WYN WILLIAMS

DYLAN
A MARGARET MAELOR

Un diwrnod braf o haf, eisteddai Lois, Alan a Dylan y crwban di-gragen, allan yng ngardd Tegfan yn socian yr haul. Roedd Moffat y ci yno hefyd yn gorwedd ar ei gefn â'i draed i fyny. Roeddynt wedi dod yn dipyn o ffrindiau bellach, ac wedi llwyddo i gadw Dylan yn gyfrinach oddi wrth eu teuluoedd a'u ffrindiau. Gan ei bod hi'n ddiwrnod mor boeth, roedd Dylan wedi tynnu'i gôt gŵyr. Rhwbiodd Lois hylif haul ar ei gefn rhag iddo losgi, ond roedd hi'n amlwg bod rhywbeth ar feddwl Lois. Cwestiwn oedd ar ei meddwl ers tro bellach, a dweud y gwir.

'Dylan?'

'Ia,' meddai Dylan yn ddioglyd.

'Y ... sut yn union collais ti dy gragen?' mentrodd Lois ofyn yn y man.

Edrychodd Alan arni'n sydyn, ac yna ar

Dylan i weld beth fyddai ei ymateb.

'Wel ... ' meddai Dylan, 'dwedais wrthych o'r blaen, yn do? Fe ddygodd rhywun fy nghragen tra oeddwn i'n cysgu yn ystod y gaeaf.'

Fe wyddai Lois yn iawn ei fod wedi

dweud o'r blaen, ond roedd hi'n amau bod mwy i'r stori nag oedd Dylan yn fodlon ei ddatgelu.

Hoffai Dylan ei ffrindiau newydd yn fawr; roedd Lois ac Alan wedi bod yn garedig iawn iddo yn ystod yr wythnosau diwethaf. Roeddynt wedi gwneud côt gŵyr fach yn arbennig iddo, ac wedi cludo bananas, ei hoff fwyd, ato. Teimlai y medrai agor ei galon iddynt, a beth bynnag, roeddynt yn haeddu esboniad am sut yn union y collodd ei gragen hardd.

Er syndod i Lois ac Alan, dechreuodd Dylan adrodd ei stori drist.

'Fy nghof cyntaf yw byw mewn bocs cysurus mewn siop anifeiliaid anwes. Roeddwn yn rhannu'r bocs gyda fy mrodyr, Tomos a Mostyn. Ew, roeddem ni'n dipyn o ffrindiau, ac yn treulio oriau yn chwarae tag; byddai Mostyn yn pryfocio Tomos a minnau bob munud drwy frathu ein coesau'n chwareus. Ond un diwrnod, fe ddaeth tad a'i fab i'r siop. Roeddent yn debyg iawn i'w

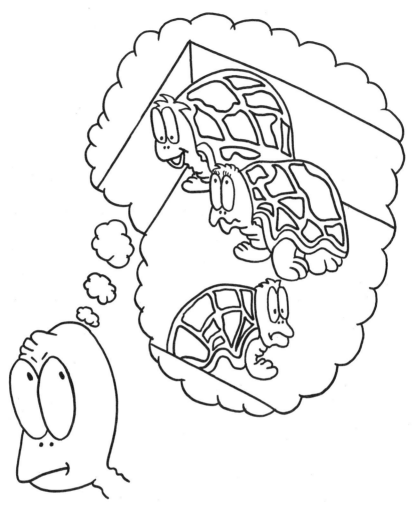

gilydd – gwisgai'r ddau sbectol. Ar ôl pendroni am oes pys, aethant â Mostyn adra efo nhw. Welais i erioed mohono ar ôl y diwrnod hwnnw. Doedd gêm tag byth yr un fath heb Mostyn druan.

Tua wythnos yn ddiweddarach, daeth gwraig fawr o'r enw Margaret Maelor i'r siop, ac roedd hithau hefyd am brynu crwban. Disgleiriai nifer o fodrwyau ar ei bysedd – roedd rhai ohonynt â cherrig gwyrdd hardd ynddynt. Am ei garddwn roedd breichled aur a oedd yn tincian wrth iddi symud ei dwylo. Roedd ei gwallt yn donnau bach brown perffaith, a gwisgai llawer o golur dros flanced o bowdr gwyn. Rwy'n cofio arogl ei phersawr hyd heddiw – llenwai'r siop, ac roedd bron a'm mygu. Gafaelodd yn Tomos a minnau lawer gwaith bob yn ail, ond ni lwyddodd yr un ohonom i frathu un o'i bysedd!

Am ryw reswm, mynnai Margaret Maelor ein troi ni wyneb i waered, ac am funud, meddyliais ei bod hi am brynu'r ddau ohonom – er ein bod ni grwbanod yn greaduriaid drud dros ben. Ond ymhen hir a hwyr, dewisodd fi. Dyna oedd y tro olaf i mi weld Tomos; ni chefais gyfle i ddweud ta-ta wrtho hyd yn oed.'

'Dylan druan,' meddai Lois â dagrau yn llenwi ei llygaid.

Llyncodd Dylan ei boer yn galed ac aeth ymlaen efo'r stori.

'I ddechrau, er fy mod i'n hiraethu am fy mrodyr, nid oedd fy nghartref newydd yn rhy ddrwg. Cefais fy mlas cyntaf ar fananas a phrofi'r awyr iach mewn gardd fawr grand. Roedd digon o le i redeg, pe taswn eisiau, digon o le i hepian yng nghysgod gwrychoedd o bob math, a blodau o bob lliw a llun i fy nhemtio – er nad oeddynt yn blasu'n rhy dda. Ond dynes digon oeraidd oedd Margaret Maelor, a byddai'n ysmygu byth a beunydd.

Teimlwn fel petawn i'n mygu yn ei chwmni rhwng y mwg sigarét a'i phersawr cryf.

'Wel beth ddigwyddodd i dy gragen?' gofynnodd Alan.

Dechreuais sylwi ar y pryd nad oeddwn wedi bod yn cael cymaint o fwyd ag arfer.

Teimlwn yn llwglyd drwy'r adeg, ac roedd fy nghragen yn llac amdanaf. Roedd bron yn amser gaeafu, ac fel arfer byddem ni grwbanod fwyta llawer o fwyd cyn mynd i gysgu dros y gaeaf. Ond dim ond hanner llawn oeddwn i pan gwympais i gysgu.

Erbyn y Nadolig, roedd fy mol yn gwneud cymaint o sŵn eisiau bwyd fel na fedrwn gysgu, felly, penderfynais godi o fy nghwsg hir a mynd i chwilio am fwyd. Ar ôl ymestyn fy nghoesau, dringais allan o'r bocs sgidia crand, ond roedd rywbeth o'i le; teimlwn yn noeth, a sylweddolais mewn dychryn fod fy nghragen wedi disgyn i ffwrdd.'

'Oherwydd dy fod di mor denau, mae'n rhaid,' meddai Lois.

'Ia, mae'n siŵr,' meddai Dylan yn drist. 'Ond cyn i mi feddwl beth oeddwn i am ei wneud, daeth Margaret Maelor o rywle gyda gwên fawr ar ei hwyneb a sigarét fawr yn ei llaw. Roeddwn i'n meddwl ei bod am fy nghodi i'w breichiau, ond yn hytrach, cododd fy nghragen fach, ei throi â'i pen i lawr a diffodd ei sigarét ynddi fel petai'n flwch llwch.'

'Blwch llwch?' gofynnodd Alan mewn penbleth.

'Ia, *ash-tray* yn Saesneg,' meddai Lois. 'Roedd Margaret Maelor wedi llwgu Dylan druan er mwyn i'w gragen ddisgyn i ffwrdd er mwyn iddi hithau ei ddefnyddio fel blwch llwch!'

'Wel y jadan!' gwaeddodd Alan wedi'i gynddeiriogi'n lân.

'O Dylan, y creadur bach,' meddai Lois yn dosturiol. 'Be wnes ti wedyn ta?'

'Wel, roeddwn wedi dychryn mor ofnadwy nes i mi ddianc oddi yno a cherdded cyn belled ag y medrwn cyn disgyn yn ymyl dy dŷ di Alan.'

'Mae'n debyg nad oedd Margaret Maelor dy angen eto beth bynnag,' meddai Lois. Roedd hi wedi cael beth oedd hi eisiau o'r cychwyn cyntaf.

'Be?' gofynnodd Alan.

'Wel blwch llwch o gragen crwban siŵr iawn,' poerodd Lois, gan ddechrau colli amynedd efo Alan am ei fod mor ara' deg yn deall y stori.

'Does dim mwy i'w ddweud,' meddai Dylan. 'Dim ond fy mod wedi dod i fyw i'r clawdd cerrig yma ac wedyn cyfarfod â chi.'

'Wel, pan ddaw yn amser i chdi aeafu yn ystod yr Hydref yma, fe fydd Alan a minnau yma i edrych ar dy ôl, yn byddwn Alan?' gofynnodd Lois.

'Byddwn wir,' meddai Alan, a'i feddwl yn bell.

'Beth sy'n mynd drwy dy feddwl rŵan?' gofynnodd Lois eto gan edrych ar wyneb drygionus Alan.

'Wel, meddwl oeddwn i y buasai'n well i ni ymweld â Margaret Maelor,' meddai Alan yn gyfrwys.

'Rargian fawr!' meddai Lois yn syn. 'Wyt ti'n gall dwed?'

Roedd Dylan hefyd yn edrych yn syn ar Alan. Ond meddai Alan, 'Nid ymweliad cyfeillgar fuasai hwn.'

'Ond ble mae hi'n byw?' gofynnodd Lois.

'Mi fedrwn i ddangos i chi ble mae hi'n byw,' meddai Dylan yn araf.

Edrychodd y tri ar ei gilydd am funud cyn i Lois ddweud, 'Mae'n rhaid ei bod yn byw yn un o'r tai mawrion yna sydd ar Stryd Crach' gan edrych i lawr y ffordd. 'Dydi o ddim yn bell iawn, mi af i nôl fy mag ysgol.'

'I be?' gofynnodd Alan.

'Wel i gario Dylan siŵr iawn,' meddai Lois, a rhedodd i'r tŷ i'w nôl. Edrychai Dylan yn ddigon pryderus, ond tawelodd Alan ef wrth ddweud: 'Paid â phoeni Dylan bach, mi fyddi'n ddiogel efo ni. Dim ond mynd i ddychryn rhyw ychydig bach ar Margaret Maelor rydym ni am ei wneud.'

Daeth Lois yn ôl o'r tŷ gyda'i bag ysgol ar ei chefn. Cododd Alan y crwban bach yn ofalus a'i osod yn y bag gan adael rhywfaint o'r sip yn agored er mwyn iddo gael awyr iach.

'Wyt ti'n iawn yn fan'na?' gofynnodd Lois wrth droi ei phen tuag ato.

'Braidd yn boeth ydi hi yma, ond fe wnaiff y tro,' gwichiodd Dylan.

'Rŵan 'ta,' meddai Alan, 'Moffat! Côd ar dy draed, rydym ni'n mynd am dro.'

Neidiodd Moffat ar ei draed gan ysgwyd ei gynffon yn wyllt. Yr unig dro y gwrandawai Moffat ar Alan fyddai pan oedd hi'n amser mynd am dro. Aeth y pedwar i lawr y lôn i gyfeiriad Stryd Crach. Gofynnai Lois o dro i dro i Dylan os oedd o'n iawn, tra gwaeddai Alan ar Moffat i styrio.

'Oes raid i ti godi dy goes ar bob un postyn sydd ar y stryd?' ochneidiodd Alan yn flin.

Yn y man, daethant at y rhes o dai crand oedd ar Stryd Crach. 'Wel Dylan,' meddai Lois, 'Dyma ni. Fedri di edrych allan o'r bag i weld os wyt ti'n adnabod tŷ Margaret Maelor?'

Gwthiodd Dylan ei ben bach allan o'r bag gan edrych o'i gwmpas. Cerddodd Lois, Alan a Moffat yn araf i lawr y stryd er mwyn i Dylan gael cyfle i weld yn iawn.

'Dacw fo,' meddai Dylan yn sydyn, 'Y tŷ yna gyda llawer o flodau a choed o'i gwmpas.'

Safai pawb yn llonydd am funud i feddwl beth i wneud, ac yna awgrymodd Alan, 'Fe gerddwn i fyny at gefn y tŷ.' Ac i ffwrdd â nhw. Aethant i guddio y tu ôl i wrych ymhen draw'r ardd gefn gan sbecian o gwmpas, a phwy feddyliech oedd yn gorwedd ar gadair haul foethus gyda diod oer mewn un llaw a sigarét fawr yn y llaw arall? Neb llai na Margaret Maelor!

'Dacw hi!' sibrydodd Dylan yn ofnus gan guddio'n ôl yn y bag.

'Beth ydym ni am wneud i'w dychryn?' gofynnodd Lois wrth Alan. Ond cyn i Alan agor ei geg i'w hateb, neidiodd Moffat dros ben y gwrych gan ruthro am Margaret Maelor fel tarw gwyllt. Roedd golwg dychrynllyd ar ei hwyneb pan welodd Moffat yn carlamu tuag ati, ond ni chafodd gyfle i symud yr un modfedd cyn i'r ci neidio ar ei phen gan droi'r diod oer, a oedd yn llawn o rew, dros ei phen i gyd.

'HELP, HELPWCH FI!' gwaeddodd Margaret Maelor.

Cydiodd Moffat yn y sigarét efo'i geg a dechreuodd redeg drwy'r ardd. Fedrai Alan a Lois ddim peidio â chwerthin wrth weld

Moffat yn rhedeg fel peth gwyllt gyda sigarét yn ei geg. Roedd hyd yn oed Dylan wedi anghofio'i ofnau ac yn gwenu wrth weld y fath olygfa. Ond yn sydyn, baglodd y ci dros bolyn a oedd yn dal y lein ddillad i fyny a disgynnodd y dillad i lawr am ei ben. Y funud nesaf, daeth Moffat o blith y dillad gyda pâr o flwmars pinc Margaret Maelor am ei ben, a'r sigarét dal yn ei geg. Wel, erbyn hyn roedd Alan, Lois a Dylan yn rhowlio chwerthin a Margaret Maelor yn rhedeg mewn panig llwyr gan weiddi, 'Help! Mae 'na anghenfil yn fy ngardd!' Rhedodd Moffat tuag at Alan a Lois a diflannodd y tri i lawr y stryd. Wedi iddynt redeg o olwg Stryd Crach, safodd Alan a Lois ger bwys coeden er mwyn ceisio dal eu hanadl. Gafaelai Lois yn ei hochr a oedd yn boenus ar ôl yr holl chwerthin a rhedeg. Gwthiodd Dylan ei ben o'r bag a gweld bod Moffat bellach wedi colli'r sigarét, ond yn dal i redeg o gwmpas gyda blwmars pinc Margaret Maelor ar ei ben. 'Da iawn chdi Moffat!' meddai Dylan, 'Rwyt ti wedi dial ar Margaret Maelor drosta i ac fe fwynheais bob munud ohono!'

'A ninnau hefyd,' meddai Alan gan redeg ei law ar hyd cefn Moffat.

'Wel,' meddai Lois wrth iddynt gerdded yn ôl am adref. 'Wnawn ni ddim dy lwgu fel wnaeth Margaret Maelor, fe wnawn yn siŵr dy fod di'n cael llond dy fol o fwyd cyn i ti fynd i gysgu.'

'Digonedd o fananas?' gofynnodd Dylan.

'Ia,' meddai Alan gan chwerthin, 'Digonedd o fananas.'

'Dwn i ddim be faswn i'n ei wneud hebddoch, na 'wn wir,' meddai Dylan, gan feddwl pa mor ffodus yr oedd o gael ffrindiau fel Alan, Lois a Moffat.

Ond ychydig a wyddai'r pedwar, wrth iddynt gerdded am adref am y drafferth oedd i ddod yn ystod cyfnod gaeafu Dylan – ond mae honno'n stori arall!

NIA DAVIES WILLIAMS

WIL
A'R GOEDEN NADOLIG

Roedd Dydd Nadolig yn nesáu. Syrthiai'r plu eira yn flanced dew ar dref Bryn Castell. Disgynnent yn igam-ogam tua'r llawr. Pluen ar ôl pluen ar ôl pluen.

'Dyma hwyl,' gwichiodd Lili'r llygoden wrth rowlio yn yr eira.

'Wiiii ... mae hyn yn hwyl go iawn.'

'Tyrd o'na, mae'n rhaid i ni ei throi hi am adref,' mynnodd Lowri, chwaer Lili.

Roedd Llŷr yn dechrau colli amynedd gyda'i ddwy chwaer. 'Brysiwch da chi,' gwaeddodd, gan ei fod ar frys i gyrraedd y tŷ mawr yng nghanol y dref. Y tŷ mawr oedd yn gartref iddynt hwy a Wil y Cawr Mawr Swil hefyd.

Teimlent yn hapus iawn heddiw am fod digwyddiad hynod bwysig ar fin digwydd yn y dref. Am fod tref Bryn Castell yn gan mlwydd oed, roedd parti mawr i ddathlu'r can mlwyddiant am gael ei gynnal yno – y parti mwyaf fyddai unrhyw un yn ei weld! Wel dyna chi hwyl yntê?

Roedd trigolion y dref drws nesaf am roi anrheg i drigolion tref Bryn Castell. Edrychai trigolion y ddwy dref ymlaen at y dathliadau. Roedd llawer o bobl yn hoff iawn o gael parti! Byddai'r anrheg yn siŵr o fod yn unigryw – ac yn un arbennig iawn; anrheg a fyddai'n ddigon derbyniol i frenin neu frenhines.

Wyddoch chi beth oedd yr anrheg arbennig iawn?

Wel, coeden Nadolig. Y goeden Nadolig hardda a welwyd erioed o'r blaen. Ew, roedd cyffro mawr yn y dref. Roedd Mr Maer wedi cynhyrfu, ac roedd Bil y Bwtsiar wedi cynhyrfu. Yn wir, roedd holl drigolion tref Bryn Castell wedi cynhyrfu'n lân!

Edrychai Lowri a Lili y ddwy lygoden lwyd, a'u brawd ymlaen yn fawr at y digwyddiad pwysig yn y dref, ond byddai'n rhaid disgwyl yn amyneddgar am yr anrheg arbennig iawn. Roedd hynny'n anodd iawn – yn enwedig am fod y Nadolig mor agos.

Gweithiai Lowri a Lili a Llŷr, y teulu o lygod llwyd yn brysur iawn yn addurno'r tŷ ar gyfer Wil y Cawr Mawr Swil. Roedd y tŷ bron o'r golwg am fod addurniadau Nadolig ym mhob twll a chornel yn y gegin, y lolfa, a hyd yn oed yn y tŷ bach!

Byddai Wil yn siŵr o gael braw pan fyddai'n dod adref.

Edrychodd Lili'r llygoden lwyd drwy ffenestr y gegin wrth iddi glywed sŵn cythrwfwl mawr yn dod o'r tu allan.

Roedd holl drigolion tref Bryn Castell yn

rhuthro o'u tai, ac yn rhuthro o'r siopa. Rhuthrent i lawr y stryd fawr. Gellid gweld Bil y Bwtsiar, Sam y plismon, a Sel y Saer yn rhedeg.

Beth oedd yn bod? I ble oedd pawb yn mynd? Pam y brys mawr? Brysiodd Lowri a Lili a Llŷr y llygod allan o'r tŷ a'u gwynt yn eu dwrn.

'Brysiwch, mae'r anrheg wedi cyrraedd!' gwaeddodd Sam y plismon.

'Mae'r goeden wedi cyrraedd, mae'r goeden Nadolig wedi cyrraedd y dref,' bloeddiai'r gynulleidfa ar draws ei gilydd.

Erbyn hyn, roedd y teulu o lygod yng nghanol y dorf. Roedd sŵn byddarol i'w glywed yn y pellter, a hwnnw'n agosáu ac yn agosáu. Tawelodd y dorf.

Ac yna ... tawelwch.

Chwalodd y gynulleidfa, a throi'n ôl am adref.

Yna, dechreuodd y sŵn byddarol unwaith eto.

Rhuthrodd y dorf. Rhuthrodd y Lowri a Lili a Llŷr tua'r orsaf drenau. Yn wir, daeth y sŵn byddarol yn agosach fyth. Daliodd pawb yn y dorf eu hanadl.

Daeth y trên i'r golwg, ac arno roedd y goeden Nadolig. Roedd yn goeden anferthol. Pwy fyddai'n gallu codi coeden mor fawr? Yno'n disgwyl oedd craen mawr. Byddai'r craen yn siŵr o godi'r goeden Nadolig, ond byddai'n rhaid bod yn ofalus wrth ei godi am ei fod mor fawr. Cydiodd Huw yn y bachyn a'i osod yn ofalus ar fonyn y goeden.

'Tynnwch,' gwaeddodd Huw, 'ac eto ... STOP!'

Roedd golwg druenus ar y goeden fel petai ar fin torri yn ei hanner. Felly, roedd rhaid meddwl am ffordd arall.

Syrthiai'r eira, pluen ar ôl pluen ar ôl

pluen. Roedd hi'n anodd codi rhywbeth mor fawr a hithau mor oer. Cydiodd Huw yn y bachyn unwaith eto. Y tro hwn, daeth rhagor o bobl i'w helpu.

'Un tro arall,' gwaeddodd Huw, 'tynnwch ... llusgwch ... ond ... DIM!

Eisteddodd y dorf yn swrth ar y llawr. Roedden nhw'n methu'n glir â meddwl am y ffordd orau i godi'r goeden hardd.

O diar, o diar diar, roedd y goeden yn rhy fawr o lawer.

Erbyn hyn, roedd yr haul ar fin machlud, a thrigolion tref Bryn Castell yn siomedig iawn.

'Dewch i neuadd y dref,' mynnodd y saer.

'Mae parti ar ein cyfer.'

Parti ydoedd, i ddathlu gosod y goeden a'i holl addurniadau, ond nid parti i ddathlu mohono.

Eisteddodd y trigolion yn drist iawn yn y neuadd. Roedd y goeden hardd yn sownd ar drên yn yr orsaf!

Doedd neb yn dawnsio nac yn bwyta'r brechdanau picl. Doedd hyd yn oed dim briwsion yn swper i Lowri a Lili a Llŷr. Roedd distawrwydd mawr yn y dref.

Yn sydyn, dechreuodd y neuadd grynu.

'Hwrê, mae Wil wedi cyrraedd adref.'

'Hwrê ... Hwrê!'

Fyddai'n well i ni roi amser iddo ddadbacio.

Roedd sŵn ei draed maint 23 i'w clywed yn camu ar hyd y stryd.

O'r diwedd, roedd Wil wedi cyrraedd adref o'i wyliau.

Cyrhaeddodd Wil ei gartref mewn chwinciad, ac agorodd y drws mawr glas.

'Adref o'r diwedd,' meddai yn llawn rhyddhad.

Synnodd Wil wrth weld yr addurniadau ym mhob man – roedd wedi gwirioni. Hwn oedd ei Nadolig cyntaf yn y tŷ mwyaf yng nghanol tref Bryn Castell.

Ar y bwrdd, wedi'i baratoi a'i osod yn dwt oedd te Wil y Cawr Mawr Swil.

Am bryd a hanner! Roedd Lowri a Lili a Llŷr y llygod wedi bod yn hynod brysur yn paratoi'r fath wledd i'w groesawu adref.

'Croeso adref,' gwichiodd llais yn bell.

'Mae'n dda dy gael di'n ôl adref,' dywedodd Lowri.

'Ydi,' ychwanegodd Lili. A nodiodd Llŷr ei ben.

'Diolch yn fawr,' meddai Wil, 'dwi'n falch dros ben fod gen i ffrindiau cystal â chi.'

'Wil, mae yna broblem yn y dref,'

sibrydodd Lowri y llygoden lwyd.

'A dim ond ti all ein helpu.'

A dyna ddechrau adrodd y stori. Y stori am y goeden fawr yn y dref.

'I ffwrdd â ni,' mynnodd Wil.

'Mae'n rhaid achub Gŵyl Nadolig Tref Bryn Castell,' ychwanegodd yn gadarn.

Syrthiodd pluen eira ar ôl pluen eira ar dref Bryn Castell.

Cerddodd y pedwar drwy'r eira. Heb unrhyw drafferth, cododd Wil y goeden a'i osod yn ei lle ar sgwâr y dref. Cafodd y pedwar ohonynt hwyl di-ri yn gosod yr addurniadau lliwgar ar y goeden Nadolig. Edrychai'n ddigon o ryfeddod.

'O Wil, mae'n edrych yn hardd.' Gwichiodd Lili'r llygoden.

'Diolch Wil.'

Gallai trigolion y dref, oedd wedi casglu yn y neuadd weld y golau llachar a lliwgar yn disgleirio drwy ffenestr y neuadd. Cafodd Wil ganmoliaeth am ei waith caled, a chafodd Lowri a Lili a Llŷr y llygod ganmoliaeth am addurno'r goeden Nadolig mor hardd.

'Dewch i'r neuadd, dewch i'r parti,' gwaeddodd Jac y Maer ar dop ei lais.

Ac felly bu. Cafodd trigolion tref Bryn Castell barti a hanner y noson honno, ac roedd digonedd o fwyd i Lowri a Lili a Llŷr y llygod. Cafodd pawb andros o hwyl yn y parti, a dawnsiodd Wil y Cawr drwy'r nos.

SIONED W. HUGHES DAVIES

"Beth oedd enw aderyn y to cyn bod 'na dai?"

Beth oedd enw Aberhosan
cyn cael gwlân i'w gweu?
Beth oedd enw Llyn y Gadair
cyn cael saer i'w chreu?
Sut mae mynd i Gaerdydd
a hithau yn nosi?
Sut mae gweld Craig y Nos
pan fydd yr haul yn llosgi?

Beth oedd enw Brynrhydyrarian
pan oedd y lle'n dlawd?
Beth oedd enw Y Glais
cyn iddo frifo ei gnawd?
Sut le ydi Aberystwyth
pan fydd wedi stiffio?
A pha liw oedd Castell Coch
cyn cael ei beintio?

Beth oedd enw Felin-foel
pan oedd yno wallt?
A beth am y Felinheli
cyn bod y môr yn hallt?
Beth oedd enw Beddau
pan oedd pobol yn y plwy?
Beth elwid pentref Llai
pan oedd y lle yn fwy?

Yr un un enw –
yn ôl rhai –
ag aderyn y to
cyn bod yna dai.

MYRDDIN AP DAFYDD

132

Caleb a'r Ras Fawr

Roedd hi'n fore heulog, braf, a dyna lle'r oedd Caleb yn disgwyl wrth ymyl y cei yn nerfus dros ben. Heddiw, roedd rhaid tynnu pob dim allan o'i grombil: rhaffau, siacedi achub, cylchoedd achub, y tegell, y cwpanau a phopeth arall hefyd.

'Dyna ti, Caleb, popeth wedi'i glirio,' meddai Capten Iolo. 'Paid â phoeni, dwi'n siŵr y gwnei di'n iawn yn y prawf eto y flwyddyn yma.' Dechreuodd Capten Iolo'r peiriannau, ac aethant at ddiwedd y pier.

Roedd y prawf arbennig yma'n cael ei gynnal bob blwyddyn er mwyn gweld os oedd Caleb yn ddigon cryf i fynd ymlaen â'i waith.

Cyrhaeddodd y ddau waelod y pier, ac yno uwch eu pennau roedd Ifor y Craen. 'Bore da

134

Caleb. Wyt ti'n barod? Be fydd hi gynta? Y troi, y pen tuag at i lawr, neu'r pen-ôl tuag at i lawr? Dweda di.'

'Cadw'r gorau tan y diwedd fel arfer, os gweli di'n dda, Ifor. Y troi yn gynta.'

Neidiodd Capten Iolo a Haf y gath i fyny at y pier wrth i'r strapiau mawr llydan gael eu gosod yn ofalus o gwmpas Caleb. Yna, cododd Ifor y Craen Caleb i fyny'n uwch ac yn uwch, nes bod Caleb allan o'r dŵr yn gyfangwbl, ac yn edrych draw dros y môr.

Edrychodd Capten Iolo ar ei oriawr amseru, ac yna edrychodd ar Ifor. 'Barod, Ifor? Rŵan!'

Gollyngodd Ifor y strapiau'n sydyn, ac fe drodd Caleb rownd a rownd gan weiddi'n hapus, nes ... SBLASH! I lawr ag ef o dan y dŵr, yna codi yn ei ôl nes iddo orwedd yn esmwyth unwaith eto. Edrychodd Caleb ac Ifor yn nerfus ar Capten Iolo a'i oriawr amseru. Tybed a oedd Caleb wedi llwyddo i basio rhan gynta'r prawf?

'Perffaith!' meddai Capten Iolo gyda gwên. 'Nesa!' Bloeddiodd Haf mewn hapusrwydd.

Codwyd Caleb gan Ifor unwaith eto, a'r tro hwn, cafodd ei ollwng i lawr ar ei ben ôl. Diflannodd o dan y dŵr unwaith eto, ac unwaith eto, daeth yn ôl i fyny'n hawdd.

'I'r dim,' meddai Capten Iolo. 'Rŵan am y prawf ola.'

Hwn oedd ffefryn Caleb. Cael ei godi ben i waered, gan edrych yn syth i lawr ar y dŵr dwfn wrth ymyl y pier. Gollyngodd Ifor y strapiau'n sydyn, ac i lawr â Caleb gan sgrechian ei fwynhad, taro wyneb y dŵr, ac wedyn saethu'n ôl i fyny fel bwled.

'Campus!' meddai Capten Iolo. 'Dyna ti'n iawn am flwyddyn arall, Caleb.'

Ar ôl diolch i Ifor y Craen, cychwynnodd y

tri'n ôl tuag at y cei. Ar ôl cyrraedd yno, llwythodd Capten Iolo bopeth yn ôl i grombil Caleb. Ond, beth oedd hwnna? Rhyw fag mawr coch? O ble ddaeth hwnnw, tybed? Doedd Caleb erioed wedi ei weld o'r blaen.

'Paid ti â phoeni am hwnnw Caleb. Syrpreis ydi o. Cei di wybod mwy bora fory. Dos di i gysgu rŵan – mae diwrnod mawr o'n blaenau ni fory. Rasys cychod hwyliau.' Gyda hynny, caeodd Capten Iolo ddrysau cryf y cwt, gan wenu'n ddirgel.

Roedd y bag mawr coch yn poeni Caleb. Oedd, roedd yn hoff o syrpreis, ond ei broblem oedd ei fod yn methu diodde disgwyl. 'Sut fedra i syrthio i gysgu rŵan a'r bag 'na ar fy meddwl i?' meddyliodd Caleb.

Ond hyd yn oed pe bai Caleb wedi bod yn barod i gysgu'r noson honno, byddai wedi bod yn amhosib iddo wneud hynny oherwydd bod cymaint o sŵn yn dod o'r bae. Roedd y cychod hwyliau i gyd wedi cynhyrfu'n lân am y ras y bore wedyn.

Buan iawn y torrodd y wawr, ac agorodd Capten Iolo'r drysau mawr ar fore braf arall. Edrychodd Caleb allan i'r bae, a dyna beth oedd gwledd i'r llygaid. Cychod mawr, cychod bach, a chychod o bob lliw a llun yn llenwi'r bae.

Trodd llygaid Caleb at Gapten Iolo. Yno yn ei freichiau roedd y bag – y bag mawr coch! Agorodd y Capten y bag yn araf iawn er mwyn tynnu coes Caleb, ac allan o'r bag, tynnodd ddarnau o ddefnydd pob lliw ar raff.

'Baneri i wneud iti edrych yn rêl boi, Caleb!'

Wel, dyma beth oedd syrpreis. Gosodwyd y bynting o un pen i Caleb i'r llall gyda Haf yn trio'i gario i ddal pob un yn ei phawennau, a dyna i chi smart yr edrychai, hefo'r holl liwiau. Roedd ar bigau'r drain eisiau sglefrio i lawr i'r môr i'w ddangos ei hun.

Aeth Caleb draw at y cei er mwyn cario'r llongwyr draw at eu cychod. Dyna braf oedd clywed pawb yn dweud pa mor olygus ydoedd. Edrychai'n union fel cwch hwylio gyda'r holl faneri. Yna, codwyd hwyliau'r cychod i gyd, a llenwodd y môr â lliwiau.

'BANG!' Taniwyd y gwn, ac i ffwrdd â rhes gyntaf y cychod mawr hardd. Deng munud yn ddiweddarach, 'BANG!' Ac aeth yr ail res o gychod i ffwrdd. Edrychodd Caleb arnynt gan feddwl, 'O, dyna braf fasa cymryd rhan ac ennill y cwpan enfawr ... Ond dyna ni, does dim gobaith gan gwch achub bach fel fi ... '

Yna'n sydyn, tisiodd Caleb. Ac nid rhyw disiad fach ddi-sylw oedd hi 'chwaith, ond anferth o un fawr. Dim ond un peth allai hyn olygu. Soniodd am y peth wrth Gapten Iolo.

'Paid â rwdlian, Caleb. Does 'na'r un cwmwl yn yr awyr yli,' meddai Capten Iolo, ond rhuthrodd Haf lawr i grombil Caleb gan wybod yn iawn be oedd ar ddod.

Ond cyn pen hanner awr, roedd y gwynt wedi codi a'r môr yn chwipio'r tonnau i bob cyfeiriad. Taflwyd y cychod hwylio hardd o ochr i ochr, ac roedd hi'n lwcus iawn bod Caleb yn y fan a'r lle. Gwibiodd yn ôl ac ymlaen rhwng y môr a'r tir, gyda chriwiau'r llongau hwylio ar ei fwrdd.

Ar ôl dwy awr o waith caled dros ben, dechreuodd y gwynt ostwng a'r tonnau dawelu. Arhosodd Caleb am eiliad i gael ei wynt, a phan edrychodd o'i gwmpas, gwelodd gychod o bob siâp ym mhobman. Rhai wedi troi wyneb i waered, rhai ar y tywod, a'r lleill ar eu hochrau. Wel, am lanast! Doedd dim i'w wneud ond eu nôl nhw i gyd a'u tynnu'n araf ac yn ofalus am adref.

Dyna ichi olygfa! Rhes hir, hir, hir o gychod, a Chaleb ar y blaen. Yna, cofiodd yn sydyn nad oedd unrhyw un wedi ennill y ras. 'Be sy'n mynd i ddigwydd i'r cwpan y flwyddyn yma, 'sgwn i?' meddyliodd.

'BANG!' Neidiodd Caleb allan o'r dŵr. 'Y gwn gorffen! Mae rhywun wedi ennill!' Edrychodd o'i gwmpas, ond ni allai weld unrhyw gwch. Rhwbiodd ei lygaid i wneud yn siŵr. Na, doedd 'na neb yn y golwg.

Aeth yn ei flaen i'r harbwr, ac yno roedd torf fawr yn codi'u breichiau ac yn gweiddi, 'Hwrê, hwrê, hwrê i Caleb!' Roedd Caleb ar goll yn llwyr.

'Ti ydi o,' bloeddiodd Capten Iolo arno. 'Ti sy 'di ennill y cwpan – yr unig gwch i groesi'r llinell!' Gwichiodd Haf wedi'i chynhyrfu'n lân.

Gwenodd Caleb o glust i glust wrth roi'r cychod yn ôl yn yr harbwr. Erbyn iddo gyrraedd y cwt, roedd Maer y Dre yno'n ei ddisgwyl.

'Llongyfarchiadau i ti Caleb. Dyma'r cwpan i ti – mi wyt ti'n ei haeddu fo.'

Y noson honno, swatiodd Caleb y Cwch

143

Achub yn ei gwt gan edrych ar y cwpan uwch ei ben ar y silff. Gwenodd yn braf. Heno, fo oedd Caleb, Enillydd y Ras Fawr.

DAFYDD HARRIS-DAVIES

DIM SYNIAD

Roedd hi'n ddiwrnod marchnad unwaith eto, ac roedd golwg drist iawn ar Idwal druan.

Roedd Mam wrthi'n brysur yn pacio am eu bod nhw'n mynd ar eu gwyliau. Mynd i wersylla mewn pabell yr oedden nhw, ac fel arfer, byddai Idwal wrth ei fodd ond roedd rhywbeth mawr yn ei boeni.

'Dwn i ddim beth i'w wneud y tro yma,' meddai wrth Rosmari'n drist. 'Fedra i ddim meddwl am unlle arall i'w guddio fo.'

'Mee,' cytunodd Rosmari'n benisel.

'Fedra i ddim gadael y giât ar agor eto, neu fydd Taid siŵr o ddeall mai fi sy'n gwneud,' meddai Idwal.

Twmffat oedd achos yr holl benbleth.

Oen oedd Twmffat, ac roedd yn amser

iddo fynd i'r farchnad efo'r ŵyn eraill. Ond roedd Twmffat wedi dod yn ffrindiau mawr efo Idwal a Rosmari, ac wrth gwrs, roedd meddwl am ddweud hwyl fawr wrtho yn torri calon Idwal a Rosmari druan.

Roedd Idwal wedi ei achub unwaith yn barod, wrth agor y giât er mwyn iddo ddianc cyn i Taid a'r trelar gyrraedd. Ond y tro hwn, roedd yn rhaid i Idwal feddwl am syniad arall a dyna oedd y broblem. Fedrai Idwal ddim meddwl am unrhyw fath o syniad – roedd ei feddwl yn hollol wag o syniadau.

'Be sy' Idwal?' gofynnodd Mam.

'Dim byd,' atebodd Idwal.

'Beth am fynd i roi'r babell i fyny,' awgrymodd Mam wedyn, 'er mwyn i ni wneud yn siŵr fod y polion i gyd yna.'

Fel arfer, byddai Idwal wedi rhuthro o flaen ei fam i gael cychwyn gosod y babell, ond llusgo tu ôl iddi wnâi heddiw. Aethant

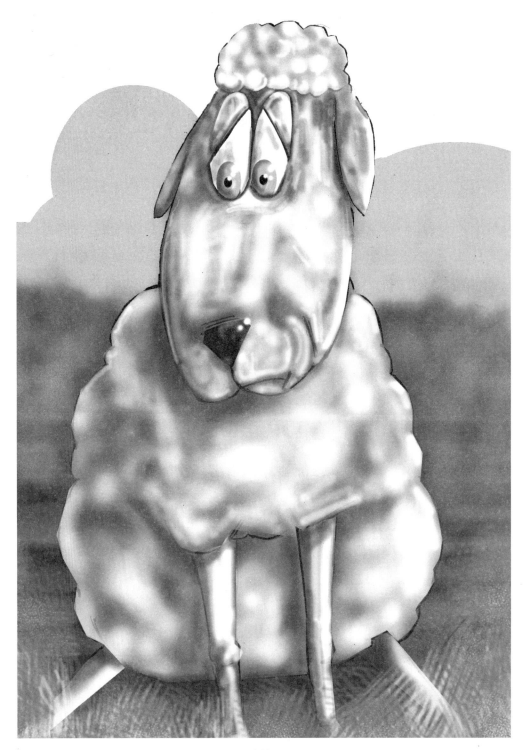

heibio'r gorlan lle'r oedd yr ŵyn yn aros i Taid a'r trelar gyrraedd.

Trodd Idwal ei ben i ffwrdd, ond gallai weld Twmffat yn eistedd wrth y ffens â golwg ddigalon iawn arno.

Doedd dim y gallai Idwal ei wneud. Edrychodd i weld os gallai weld Rosmari yn rhywle, ond roedd hithau hefyd wedi diflannu. Mae'n rhaid ei bod hithau mor drist nes ei bod wedi mynd i'r tŷ gwair i g u d d i o , dywedodd Idwal wrtho'i hun.

Bu Idwal a Mam yn brysur yn codi'r babell ac yn cyfri'r pegiau. Bu'r babi'n brysur hefyd yn lapio'r cortyn rownd a rownd ei goesau, nes ei fod wedi clymu ei hun yn sownd wrth un o'r polion.

Yn sydyn, clywodd Idwal sŵn fan a threlar Taid, cododd ei ben a gweld y trelar yn troi i'r ffordd fawr. Roedd o a Mam wedi bod mor brysur fel nad oedd wedi clywed Taid yn cyrraedd ac yn llwytho'r ŵyn.

'O na!' gwaeddodd Idwal.

'Ta ta Taid,' meddai'r babi, oedd yn sownd yn y polyn.

Rhedodd Idwal at y gorlan; roedd y giât ar agor a'r gorlan yn wag. Roedd pobman yn dawel.

'Ta ta Twmffat,' meddai Idwal, a llusgodd ei draed yn ôl i'r tŷ, ac i'w ystafell wely gan deimlo'n ddiflas iawn.

Cyn bo hir clywodd Mam a'r babi yn dod i'r tŷ. Roedd Mam yn dal i bacio, a'r babi'n dal i ddadbacio. Gallai Idwal glywed Mam yn dweud y drefn.

Yna clywodd Idwal sŵn brefu. Cododd ei galon. Roedd Rosmari wedi dod i chwilio amdano.

Aeth Idwal i lawr y grisiau.

'Idwal, wnei di fynd i dynnu pegiau'r babell imi,' gofynnodd Mam.

'Tyrd yn dy flaen, Rosi,' meddai Idwal, ac i ffwrdd â'r ddau draw at y babell.

Llusgai Idwal ei draed, ond roedd Rosmari'n trotian yn braf.

Rhuthrodd Rosmari heibio Idwal a sefyll o flaen y babell.

'Mee,' brefodd a throi ei thrwyn tuag at ddrws y babell.

'Ie Rosmari, rydw i yn gwybod mai hon ydi'r babell,' meddai Idwal braidd yn flin.

'Mee,' meddai Rosmari wedyn gan gydio yng nghornel y babell a dechrau tynnu.

'Paid Rosmari, rhag ofn iti rwygo'r babell,' meddai Idwal, 'neu mi fydd Mam yn flin.'

Yna allan o'r babell daeth trwyn du i'r golwg.

'Mee,' meddai'r trwyn du.

Edrychodd Idwal ar Rosmari.

'Mee,' meddai Rosmari.

Yna, allan o'r babell daeth trwyn du, a phen gwlanog.

'Mee, hi, hi, hi,' meddai Rosmari'n hapus.

Trwyn du a phen gwlanog Twmffat ddaeth allan o'r babell!

'Hwrê!' bloeddiodd Idwal.

Neidiodd Rosmari i'r awyr yn hapus.

'Ti gafodd y syniad?' gofynnodd Idwal.

'Mee,' atebodd Rosmari.

'Mee,' cytunodd Twmffat, gan fynd ati i

153

gnoi drws y babell yn fodlon. Roedd syniad Rosmari yn un campus – a blasus iawn.

HAF LLEWELYN

Beicwyr Bedlam
a'r lleidr golau dydd

Roedd hi'n brynhawn Sadwrn braf yng Nghwm Eithin – y plant allan yn chwarae gêm bêl-droed ar stryd y pentref, criw o hen wragedd yn glanhau y tu allan i'r capel, ŵyn bach yr Hendre yn prancio am y gorau yn y caeau, a'r dyn glanhau ffenestri yn symud o dŷ i dŷ. Tywynnai'r haul yn yr awyr ddigwmwl, y cennin Pedr yn addurno'r gerddi, a'r adar yn y coed yn canu cân o groeso i'r gwanwyn. Ond doedd fawr o achos i drigolion Rhesdai Bedlam ganu gan fod lleidr wedi taro'r lle. Roedd bocs o fodrwyau gwerthfawr wedi cael eu cipio o dŷ Rhif 1; Mrs Elias Rhif 3 mewn sterics ar ôl colli cadwyn aur; Mr Tomos Rhif 7 yn torri'i galon ar ôl diflaniad chwe deg punt mewn arian parod. Perai'r holl beth ddirgelwch mawr, am nad oedd y lleidr wedi torri'r un ffenestr na chwalu'r tai o'r top i'r gwaelod ychwaith. Yn ogystal â hynny, ac roedd pawb wedi bod i fewn yn eu tai drwy'r bore, felly roedd angen rhywun cyfrwys dros ben i sleifio i fewn ac allan heb i neb sylwi arno – a hynny yng ngolau dydd hefyd! Dyma'r pethau oedd yn creu penbleth a chur pen i Feicwyr Bedlam wrth iddynt orffwys yng ngardd tŷ Cara Wyn ar ôl gêm galed o bêl-droed.

'Pwy bynnag sydd wrthi, mae'n rhaid ei fod o'n glyfar ar y naw,' meddai Gethin Rhys.

'Mae rhaid i ni gadw'n llygaid ar agor,' rhybuddiodd Tim, 'neu falle mai'n cartrefi ni fydd nesa! A sa' i moyn colli fy meic, na'r system hi-fi "mega" ges i Dolig, na'r teledu a fideo yn y llofft, na'r cit rygbi Pontypridd, na CD's y *Super Catatonic Myncis ...* '

'Ocê, ocê! Dwi'n meddwl ein bod ni gyd yn dallt dy bwynt di, Tim!' meddai Cara'n ddiamynedd. A chwarddodd y tri arall wrth i wyneb Tim droi'n goch fel tomato, mewn cywilydd.

'Ho! Mae 'na rywun mewn hwyl garw y pnawn 'ma!' Trodd y pedwar i weld y gŵr glanhau ffenestri yn sefyll wrth giât yr ardd. Roedd wedi'i wisgo mewn ofarôl glas a chap brethyn oedd yn cuddio'i wallt gwyn, a gwên gyfeillgar ar ei wyneb. 'Ydi hi'n bosib i mi gael ychydig o ddŵr sebon 'rhen blant?' holodd, gan ddal y bwced coch allan. Cododd Cara ar ei thraed, a throi am y tŷ gyda'r bwced. 'Arhoswch chi'n fan'ma,' meddai wrth y gŵr – fiw i neb arall ddod ar gyfyl y tŷ i focha carpedi newydd mam!' Stopiodd y gŵr yn stond wrth garreg y drws, a meddyliodd Gethin am eiliad iddo ei glywed yn rhegi o dan ei wynt. Daeth Cara yn ôl cyn pen dim gyda'r bwced yn gorlifo fel rhaeadr o swigod sebon. 'Diolch ... a phob hwyl ar y gêm!' meddai'r gŵr, gan roi cic ysgafn i'r bêl wrth ddychwelyd yn ôl am ei waith.

'Dyn clên,' meddai Tim, 'ma' fe'n fy atgoffa i o tad-cu Rhondda.'

Gyda hynny, cododd y pedwar ar eu traed a rhedeg am y gorau ar ôl y bêl i lawr y stryd. Pawb ond Gethin, hynny yw – roedd yntau'n dal i fod yn amheus o'r hen ŵr wrth ei wylio'n dringo i fyny'r ysgol gyda bwced glas i lanhau ffenestri'r tŷ drws nesaf, Rhif 4.

Dim ond prin hanner awr fuon nhw wrthi'n chwarae'r gêm, ond rhoddwyd y ffidil yn y to wedi i Cara a Steffan ddechrau ffraeo ymysg ei gilydd ynglŷn â pha un o'r ddau oedd prif sgoriwr y gêm. Cerddodd y criw yn ôl i fyny'r stryd, gan basio heibio'r hen wragedd oedd yn dal i roi'r byd yn ei le wrth sgubo grisiau'r capel. Clywodd Gethin beth o'u sgwrs ' ... dyna gael gwared o'r hen lwch yna ... ac mi rydan ni wedi cael tipyn gwell hwyl ar y capel 'ma, na mae'r dyn 'na wedi'i gael ar lanhau ffestri'r tai 'cw ... Ac wrth edrych ar ffenestri tŷ Rhif 4, roedd yn deall eu pwynt. Edrychai pob ffenestr yr un mor fudr ag o'r blaen – yn batrwm o lwch budr i gyd – er gwaetha'r holl ddŵr sebon roedd y gŵr wedi'i gael gan Cara'n gynharach ... 'Pawb i nôl eu beics – rŵan!' gorchmynnodd Gethin ar ei ffrindiau yn sydyn. Cyn i'r tri arall gael eu gwynt atynt, roedd Gethin eisoes wedi neidio ar ei feic, ac yn padlo fel fflamia i ben y stryd, i gyfeiriad Plas Eithin – tŷ moethus Mr a Mrs ap Gwynfor.

'Ti'm yn gall!' oedd ymateb Cara pan eglurodd Gethin

ei stori wrthynt ym môn y clawdd. Prin ganllath i ffwrdd, roedd y gŵr glanhau ffenestri yn eistedd ar sil ffenestr un o lofftydd Plas Eithin. 'NA! Mae popeth yn gwneud synnwyr,' atebodd Gethin yn bendant, 'reit – ydi pawb yn gwybod beth i'w wneud?' Edrychodd pawb yn ansicr a nerfus ar ei gilydd. 'Rŵan – amdani!'

Cyfrodd Tim i fyny i dri, a sgrialodd y pedwar yn syth am yr ysgol, yn barod i'w chario i ffwrdd. Yn sydyn, llithrodd

Steffan ar bwll o ddŵr sebonllyd oedd ar y llawr gan ddisgyn am ben Cara, a syrthiodd y ddau'n flêr ar y concrid caled. Roedd y fath bwysau'n ormod i Gethin a Tim ar eu pen eu hunain, a chwympodd yr ysgol haearn gyda chlec ar y llawr. Uwchben, roedd y gŵr yn glynu am ei fywyd wrth sil y ffenestr, a chollodd ei afael ar y bwced. Cwympodd y bwced glas i'r llawr, a chwalodd modrwyau, cadwyni aur, watsus ac arian parod blith draphlith ar draws yr ardd ...

Y noson honno, eisteddai'r pedwar ffrind yn lolfa tŷ Cara, yn gleisiau byw o'u corun i'w sawdl. Parablai Gethin fel pwll y môr ' ... roedd o'n dwyn yr holl betha 'ma yn sydyn ac ar y slei tra oedd y bobl yn nôl dŵr iddo o'r gegin ... ac felly roedd o'n flin pan 'nath Cara wrthod gadael iddo fo fynd i'r tŷ efo hi. Y cliw arall oedd lliwiau'r bwcedi; un coch oedd ganddo yn cario'r dŵr, ond roedd ganddo fwced glas hefyd – sef yr un a ddefnyddiai i gario a chuddio'r holl bethau roedd yn eu dwyn! Mi o'n i ... sori – ni – yn dda heddiw, toeddan?' Trodd i edrych ar ei ffrindiau, gan ddisgwyl clamp o ganmoliaeth, ond yn ofer. Roedd Cara, Tim a Steffan yn chwyrnu cysgu'n braf ar y soffa. Roedd drama'r diwrnod yn amlwg wedi cael effaith ar bob un o Feicwyr Bedlam!

DYLAN WYN WILLIAMS

Beicwyr Bedlam
a Stori'r Geni

'Brysiwch, hogia – inni gael cyrraedd cyn inni gwrdd â Rwdolff a Siôn Corn ar y ffordd!' bloeddiodd Steffan Clwyd dros ei sgwyddau, wrth feicio fel mellten i fyny Rhesdai Bedlam.

Y tu ôl, roedd Gethin Rhys a Tim Hwntw yn padlo fel ffyliaid a chodai ager o'u cegau i'r nos rewllyd. Roedd y tri ohonyn nhw wedi mynd i hwyl pethau go iawn, ac yn dal i wisgo'r hetiau papur a gawson nhw o'r cracers yn y Parti Noswyl Nadolig yn Festri Capel Bethlehem, ar ôl gwasanaeth y plant yno. Ond roedd un aelod o'r giang ar goll – sef eu 'bos answyddogol', Cara Wyn. Roedd mam Cara Wyn ar fin rhoi genedigaeth unrhyw ddiwrnod rŵan, ac roedd y ddwy ohonyn nhw wedi aros gartre ar fferm Llwyn Betws i gael noson fach dawel – ac er mwyn croesawu tad Cara adref o'i daith hir o Ewrop yn dreifio lori cludo anifeiliaid. Roedd y tri bachgen ar eu ffordd i Lwyn Betws, felly, gyda bag llawn danteithion y parti i Cara – yn gracer, rholiau twrci, pizza, mins pei a siocledi am a welech chi. Seiclodd y tri heibio i goeden Nadolig lliwgar y pentref, ac i fyny am y fferm dan chwibanu 'Pwy sy'n dŵad dros y bryn ... yn uchel (ac allan o diwn, braidd!)

Erbyn iddyn nhw gyrraedd giât y buarth fodd bynnag, fe gawson nhw fraw. Pwy oedd yno'n chwifio'i breichiau i'r awyr fel melin wynt, ond Cara Wyn. Roedd dagrau'n powlio i lawr ei gruddiau, ac roedd hi'n siarad ar ribidirês wyllt – 'Ma ... mam! Mae'r ba ... babi bron â dŵad ... ma ... ma Nyrs Gabriel yn hwyr ... ac mae dad yn dal heb gyrraedd adref! Wa-a-a-a-a-a-a!' Erbyn deall, roedd ei mam wedi dechrau cael poenau tra oedd y ddwy ohonyn nhw'n gwylio ffilm siwgraidd Disney ar y teledu, ac roedd Cara wedi ffonio Nyrs Gabriel Gruffudd rhyw dri-chwarter awr yn ôl. ' ... A dwi wedi trïo a thrïo cael gafael arni ar y ffôn symudol, ond ... ', a thaflodd ei hun at Steffan gan wlychu'i sgwyddau hefo'r dagrau hallt.

'Wn i!' meddai Tim yn sydyn, 'cer di'n ôl at dy fam, ac fe awn ni'n tri i chwilio am y Nyrs – lan y cwm mae hi'n byw, ontefe?'

Sgrialodd Steffan, Tim a Gethin i ffwrdd, newid i'r gêr uchaf, a dringo'n uwch i fyny'r lôn gul. Roedd y ffordd yn fwyfwy llithrig erbyn hyn, a'r rhew ar y celyn yn y cloddiau yn sgleinio fel cannoedd o grisialau gwerthfawr. Gyda'u gwynt yn eu dwrn, a'u coesau'n binnau bach drostynt i gyd, aeth y tri ymhellach i fyny'r rhiw mor bendant ag erioed. Ond, po fwyaf roedden nhw'n beicio, mwya'n y byd roedd eu calonnau'n suddo fel plwm. Roedd mam Cara mewn poen i lawr yn y cwm, Cara ei hun mewn sterics, a doedd dim bw na be o'r Nyrs yn nunlle. Roedd Steffan eisoes yn dechrau ofni mai dyma'r Dolig gwaethaf eto. Yn sydyn, gwaeddodd Gethin, yn gyffro i gyd.

'Haleliwia! Ylwch – golau car!'

Cododd calonnau'r tri ffrind pan welon nhw mai Nyrs Gabriel oedd hi. Roedd ei char hi wedi stopio'n stond ym môn y clawdd, ac roedd hi'n llawn stêm rhwng ei thymer wyllt a'r sigarét yn ei cheg.

'Mae'r hen gar ceiniog a dime wedi torri i lawr ... a does dim signal o gwbl ar y ffôn felltith 'ma!' poerodd yn flin.

'Neidiwch ar fy meic i!' meddai Tim.

'Callia, hogyn!' chwarddodd Nyrs Gabriel yn ei wyneb, 'y *fi* yn reidio beic?! Edrycha ar fy maint i'r lolyn gwirion!'

''Sdim ots! 'Sdim amser gyda ni i'w wastraffu! Mae ishe chi yn Llwyn Betws nawr!'

O'r diwedd, ar ôl tuchan a bustachu, fe lwyddodd y nyrs lond ei chroen i eistedd ar y beic. Estynnodd Tim ychydig o offer nyrsio o'r car, ac ymunodd â Steffan ar ei feic yntau. Doedd dim golwg o Nyrs Gabriel erbyn hyn – roedd hi wedi hen ddiflannu i lawr yr allt fel pencampwraig ras feics y *Tour de France* ...

Chwarter awr yn ddiweddarach, roedd Steffan, Tim a Gethin yn ceisio osgoi'r ci defaid bywiog wrth badlo i fyny buarth y fferm. Roedd lori tad Cara wedi'i barcio ger y sgubor. Ar ôl cyrraedd y tŷ, roedd y tri yn swp sâl o nerfus. Roedd cant a mil o bethau'n mynd trwy'u meddyliau. Yn araf deg bach, agorodd Tim ddrws y ffrynt a cherddodd y tri i mewn. Aeth pawb gam wrth gam drwy'r cyntedd tywyll, i fyny'r gris, ac at ddrws gyda seren fawr o gliter a thinsel aur yn hongian arno – gwaith Cara yng ngwersi crefft yr ysgol, cofiodd Gethin. Ust! Oedd sŵn rhywbeth y tu ôl i'r drws? Tybed? Agorodd Steffan y drws yn ara deg, a cherddodd y tri bachgen i'r parlwr cynnes. Rhythodd y bechgyn yn gegagored ar yr olygfa o'u blaenau. Roedd Nyrs Gabriel yn sefyll o flaen tanllwyth o dân, a blancedi ar ganol y llawr, ac roedd mam Cara yn siglo baban mewn siôl yn dyner yn ei breichiau, a'r tad balch wrth ochr y teulu bach.

'Wel, sbïwch pwy sydd wedi cyrraedd! Y tri gŵr doeth myn brain i!' meddai Cara. Ie'n wir i chi – dyna lle'r oedd Gethin bron o'r golwg dan y blancedi coch, Tim yn gafael yn dynn yn y bag meddygol, a Steffan yn dal i gario bwyd y parti mewn cwdyn. Hynny i gyd, a'r hetiau papur amryliw yn goron ar eu pennau. Cerddodd Cara atynt, a rhoi sws glec ar foch y tri.

'Diolch, giang. Dyma'r Nadolig gorau erioed! Hwrê i Feicwyr Bedlam!'

DYLAN WYN WILLIAMS

WIL YN ACHUB TREF BRYN CASTELL

Syrthiai'r glaw ar dref Bryn Castell.

Drip-drop, drip-drop.

Doedd dim stop iddo.

Drip-drop, drip-drop.

Glaw, glaw a mwy o law. Gan ei bod yn glawio cymaint, doedd neb am fentro allan i'r dref. Roedd hi'n rhy wlyb i wneud unrhyw beth. Syrthiai'r glaw yn drwm iawn. Drip-drop, drip-drop.

Cyn hynny, roedd y tywydd yn braf iawn, ac roedd pawb wedi bod yn hapus iawn yn chwarae allan. Beth oedd wedi digwydd? O ble ddaeth y glaw mawr?

Roedd hi mor braf y bore hwnnw, ac felly penderfynodd Bil y Bwtsiar i gau ei siop a mynd i lan y môr. Roedd Bil y Bwtsiar yn hoff o nofio – dyna oedd ei ddiddordeb mwyaf. Hoffai hwylfyrddio hefyd, ac roedd am wneud hynny heddiw. Roedd ganddo ddawn arbennig iawn, ac roedd yn bencampwr ar y tonnau.

Byddai trigolion tref Bryn Castell yn ei wylio. Curent ddwylo pan fyddai Bil yn gwneud giamocs yn y dŵr, ac roedd yntau wrth ei fodd yn dangos pa mor dda ydoedd.

Cariodd yr hwylfwrdd o dan ei gesail. Aeth i mewn i'r môr. Safodd ar y bwrdd yn ofalus, ac i ffwrdd ag ef. Gan fod y tonnau'n rhai bach iawn, aeth ymhellach allan i'r môr. Yn sydyn, gwelodd y don fwyaf – y don fwyaf a welodd erioed. 'Aaaaaaa … ' gwaeddodd, ond ni allai unrhyw un ei glywed.

'Aaaaaaa … ' Gwaeddodd unwaith eto, a syrthiodd oddi arno. Syrthiodd i mewn i'r dŵr hallt. Cynhyrfodd y dorf.

'Ble mae Bil wedi mynd?' gofynnodd rhyw lais.

'Mae wedi mynd o'r golwg.'

Buont yn disgwyl, ac yn disgwyl ac yn disgwyl ac yn disgwyl!

Ar y traeth yn torheulo, roedd Wil y Cawr Mawr Swil. Nid oedd am i unrhyw un ei weld yn torheulo, felly roedd wedi rhoi sgrîn wynt o'i amgylch; ef oedd gyda'r sgrîn wynt mwyaf ar y traeth. Roedd yn rhaid iddo fod yn ddigon mawr i guddio cawr! Ew, roedd yn edrych yn werth chweil. Pan fyddai'n ei gario, byddai'r bobl ar y traeth yn rhedeg o'r ffordd rhag ofn i Wil y cawr sefyll arnynt. Roedd ganddo draed mawr maint 23 – traed oedd yn ddigon mawr i wneud unrhyw beth yn fflat! Nid oedd am i neb ei weld yn torheulo.

'Help ... help ... help!' gwaeddodd Bil eto.

'Brysiwch, mae Bil angen ein help!' mynnodd un o'r bobl.

'Brysiwch, mae wedi mynd o'r golwg.'

Clywodd Wil sgrechiadau. Cododd yn sydyn. Gwelodd fod rhywun mewn trafferth yn y dŵr. Heb oedi dim, rhedodd nerth ei draed am y môr, gan wneud i'r tir oddi tano grynu. Cyrhaeddodd y dŵr ar ôl tri cham.

Gafaelodd yn Bil a'i gario i ddiogelwch.

'Diolch yn fawr i ti Wil,' meddai Bil wedi blino'n lân.

'Hwrê ... hwrê ... hwrê ... ' gwaeddodd y dorf.

Curent eu dwylo'n galed iawn hefyd.

Daeth Bil ato'i hun yn sydyn iawn.

Roedd yr haul yn dal i wenu ar dref Bryn Castell. Trodd Wil a Bil a'r dorf am adref. Wrth iddynt gerdded am y dref, gwelsant gymylau du yn nesáu. Edrychai afon Castell yn ffyrnig. Codai lefel y dŵr yn uwch ac yn uwch. Heb feddwl rhagor aeth Wil i'r tŷ i ymlacio yn ei gadair fawr bren.

'Wil ... Wil ... Wil.'

Clywodd leisiau'n galw ei enw. Roedd

nifer fawr o bobl yn sefyll tu allan i'r tŷ. Roeddynt angen ei help unwaith eto.

'Mae'n rhaid i ti ein helpu.'

'Mae'r afon yn rhedeg am ganol y dref.'

Roedd sŵn cynnwrf mawr yn y dref. Rhedai trigolion y dref yma ac acw, fel llu o forgrug; roeddynt mewn perygl mawr.

Crafodd Wil ei ben. Beth alla' i wneud? meddyliodd.

Agorodd ffenestr y gegin. Gwyrodd allan o'r ffenestr yn ofalus.

'Dewch i 'nhŷ i,' gwaeddodd Wil.

Mi fyddwch chi'n ddiogel fan hyn.'

'Mae fy nhŷ i yn ddigon mawr, ac yn ddigon uchel – hwn yw'r tŷ talaf yn y dref.'

Heidiodd y bobl i mewn i'r tŷ. Roedd digonedd o le i bawb. Cafodd Lowri a Lili a Llŷr y llygod amser gwych.

'Ble'r wyt ti'n mynd?' gofynnodd Sel y saer.

'Dwi'n mynd i achub tref Bryn Castell,' atebodd Wil.

'Bydd yn ofalus,' ychwanegodd Sel y Saer.

Ac i ffwrdd ag ef. Cafodd Wil syniad gwych. Cerddodd am y dyffryn. Gallai weld bod y dŵr yn llifo'n gyflym tua'r dref. Datododd grïau ei esgid chwith, a thynnu'r esgid oddi ar ei droed. Wyddoch chi beth wnaeth ef wedyn? Wel, gosododd yr esgid fawr ledr yng nghanol yr afon. Edrychai fel argae mawr. Llifodd y dŵr i'r cyfeiriad arall. Roedd tref Bryn Castell yn ddiogel o'r llifogydd o'r diwedd.

Cerddodd Wil yn ôl am adref – heb esgid ar ei droed chwith! Er hynny, roedd yn gawr bodlon iawn. Wedi iddo adrodd yr hanes, roedd dathlu mawr yn y dref.

Roedd hi'n dawel iawn yn y dref y diwrnod

canlynol – doedd fawr neb yn cerdded strydoedd Bryn Castell. Ni allai Wil ddeall lle'r oedd pawb, ond roedd Lowri a Lili a Llŷr y llygod yn cadw cwmpeini iddo. Chwarddodd y pedwar ohonynt wrth i Wil adrodd hanes y llifogydd wrthynt.

Aeth Wil i siopa yn ystod y prynhawn. Gwenai'r haul unwaith eto ar dref Bryn Castell. Gwisgai Wil slipars ar ei draed heddiw, ac roeddynt yn gyfforddus dros ben. Ar fin cerdded drwy ddrws y siop bapur newydd ydoedd pan glywodd sŵn miwsig swynol gerllaw. Gallai weld cerddorfa tref Bryn Castell yn chwarae ar sgwâr y dref.

'Tyrd yma Wil,' galwodd Bil y Bwtsiar.

'Sut ydych chi?' gofynnodd Wil.

'Wel, ardderchog wir,' atebodd Bil y Bwtsiar â gwên lydan.

Yn wir i chi, cafodd Wil fraw ofnadwy. Yn ei ddisgwyl ar y sgwâr oedd ... pâr o esgidiau

newydd lledr, maint 23!

Rhoddodd yr esgidiau ar ei draed. O, teimlai mor hapus. Roedd trigolion y dref yn hapus hefyd gan fod y cawr yn eu cadw'n ddiogel. Yn cuddio ym mhoced Wil roedd Lowri a Lili a Llŷr y llygod. Roeddynt yn falch iawn o Wil. Aeth y pedwar adref y prynhawn hwnnw yn llawen. Wedi swper, eisteddodd Wil ar ei gadair fawr bren, ac eisteddodd Lowri a Lili a Llŷr ar ei lin. Teimlai pawb yn nhref Bryn Castell yn hapus; yn hapus iawn iawn.

SIONED W. HUGHES DAVIES

Yn dallt ein gilydd

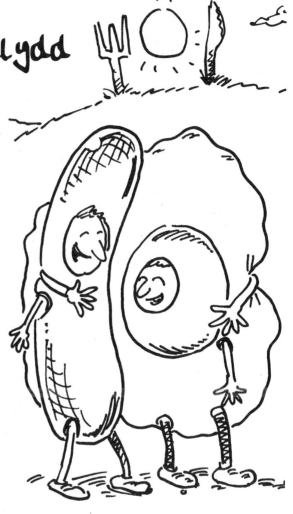

Yn grempog a mêl,
Yn bwdin a llwy,
Yn esgid a phêl,
Yn sosej ac wy,

Yn wynt ac yn hwyl,
Yn heulwen a llew,
Yn gyllell a fforc,
Yn eira a llew,

Yn garol a geni,
Yn blatfform a thrên,
Yn sach a Siôn Corn,
Yn enfys a gwên,

Yn bolyn a draig,
Yn jîns a chrys-T,
Yn eliffant a thrwnc,
Yr wyt ti a fi

Yn siwtio ein gilydd:
Mi wyddwn i'n syth
Y byddem ni'n dau
Yn ffrindiau am byth.

MYRDDIN AP DAFYDD

175

DYLAN
A'R DDAMWAIN

Deuddydd cyn y Nadolig digwyddodd y ddamwain fawr. Roedd diwrnodau braf yr haf wedi hen ddod i ben, a gwynt yr hydref wedi chwythu'r dail crin oddi ar y coed. Bellach, roedd Lois ac Alan yn treulio'r rhan fwyaf o'u hamser yn chwarae yn eu cartrefi cynnes.

A beth am Dylan, y crwban bach digragen? Wel, roedd Dylan wedi gaeafu ers dechrau'r hydref bellach. Roedd Alan a Lois wedi cludo bwyd iddo, yn enwedig bananas, ac wedi gwneud ei gartref yn gysurus trwy ddefnyddio hen siwmper a berthynai i Alan. Roedd hi wedi dod yn dipyn o broblem erbyn hyn i gau sip côt gŵyr Dylan. Roedd wedi mynd yn eitha boliog ar ôl bwyta cymaint.

Roedd Alan wedi dweud wrth Lois am

gallio gan ei bod wedi crio pan ddaeth yn amser iddynt adael Dylan, er bod Alan ei hun yn poeni ei bod hi'n amser maith tan y gwanwyn pan fyddai Dylan yn dihuno.

Ychydig a wyddai'r ddau ar y pryd mai cyfnod byr oedd ganddynt cyn iddynt weld Dylan eto; sy'n dod a ni'n ôl at amgylchiadau'r ddamwain.

Roedd hi'n wyth o'r gloch y nos ac roedd Alan wrthi'n brwsio'i ddannedd cyn mynd i'r gwely. Pendronai tybed a fyddai Siôn Corn yn dod â bwrdd sglefrio iddo fel yr oedd wedi gofyn yn ei lythyr, ond yn sydyn, amharwyd ar ei feddyliau gan sŵn erchyll car yn sgrialu ac yna 'clec'! Fferodd Alan yn ei unfan a crynai ei frwsh dannedd yn ei law. Yna clywodd sŵn Moffat yn cyfarth, ac yna ei fam a'i dad yn rhedeg allan trwy'r drws cefn. Neidiodd Alan at ffenest yr ystafell folchi a gweld bod car wedi mynd ar ei ben i'r clawdd ... y clawdd lle'r oedd Dylan yn cysgu! Llamodd Alan i lawr y grisiau fesul dwy, cyn gafael yn ei gôt a

oedd yn hongian wrth y drws, a'i gwisgo dros ei byjamas cyn rhedeg allan i'r nos yn ei slipars. Ni chymerodd Alan sylw ei bod yn chwythu ac yn bwrw eira, ac ni sylwodd fod ei slipars traed mwnci yn gwlychu. Dim ond un peth oedd ar ei feddwl, a Dylan oedd hwnnw.

Roedd ei fam a'i dad yno'n barod a mam a tad Lois yn brasgamu o drws nesaf gyda

Lois wrth eu sodlau. Daeth i sefyll wrth ochr Alan gan sibrwd yn ofnus, 'Beth am Dylan?'

Ond y cyfan fedrai Alan ei wneud oedd syllu'n syn ar y clawdd. Nid oedd gyrrwr y car wedi'i anafu yn y ddamwain, ond roedd wedi malu rhywfaint ar du blaen y car wrth geisio osgoi llwynog ar y ffordd. O ganlyniad, collodd reolaeth ar y car a mynd ar ei ben i'r clawdd. Llwyddodd y gyrrwr i yrru i ffwrdd ar ôl iddo addo i dad Alan y byddai'n talu am y difrod. Roedd rhieni Alan i'w gweld yn ddigon bodlon gyda'r trefniant yma a chychwynasant am y tŷ.

Galwodd rhieni Lois arni i ddod i'r tŷ a sylweddolodd y ddau na allent wneud dim tan y bore, felly dychwelodd y ddau yn betrusgar am eu cartrefi. Ni chysgodd yr un o'r ddau un winc trwy'r nos; roedd Lois yn troi a throsi gan edrych ar y cloc larwm ac yn ysu am y bore. Cododd Alan bob yn hyn a hyn i graffu drwy'r ffenest am unrhyw olwg o Dylan, ond i ddim diben. Yn y man, fe ddaeth y bore, bore cyn y Nadolig! Roedd ychydig o eira ar y llawr ond nid oedd fawr o gynnwrf y Nadolig yn perthyn i Lois ac Alan y bore hwnnw tra safai'r ddau uwchben twmpath mawr o gerrig a arferai fod yn glawdd ac yn gartref i Dylan.

'Rargian, am lanast,' meddai Alan yn drist.

'Be ydym ni'n mynd i'w wneud?' gofynnodd Lois, bron â chrio.

'Wel, bydd yn rhaid i ni chwilio amdano siŵr iawn,' mwmiodd Alan, gan ddechrau codi'r cerrig yn ofalus.

Bu'r ddau wrthi'n symud y cerrig gan alw amdano bob yn hyn a hyn, 'Dylan?' Dim ateb. Lle'r oedd o? Oedd Dylan wedi cael cymaint o fraw neithiwr fel ei fod wedi ffoi oddi yno? Neu'n waeth fyth, oedd o wedi cael niwed neu hyd yn oed wedi marw o dan y cerrig?

Roedd dwylo'r ddau ffrind yn oer ac yn brifo, ond yn sydyn cafodd Alan un o'i syniadau. 'Moffat!' meddai.

'Lle?' gofynnodd Lois, gan edrych o'i chwmpas.

'Dydi o ddim yma rŵan,' meddai Alan. 'Ond os oedd Moffat yn medru dod o hyd i Dylan o'r blaen, gallai ddod o hyd iddo eto!' Ac ar hynny, rhedodd Alan i'r tŷ i nôl Moffat.

Moffat oedd ci Alan, a Moffat oedd yr un ddaeth o hyd i Dylan yn y lle cyntaf yn yr un clawdd y gwanwyn diwethaf.

Dychwelodd Alan gyda Moffat yn bowndian ar ei ôl gan ysgwyd ei gynffon yn wyllt a'i dafod pinc yn hongian o'i geg. Roedd yn falch o weld Lois, a dechreuodd bwnio'i ben o dan ei dwylo oer er mwyn cael mwythau. Er nad oedd Lois yn rhy hoff o Moffat, am ryw reswm, roedd yn falch o'i weld heddiw a dechreuodd roi mwythau y tu ôl i'w glustiau.

'Hei Moffat,' galwodd Alan. 'Lle mae Dylan? Lle mae o? Fedri di ddod o hyd iddo boi?'

Dechreuodd Moffat snwffian y twmpath cerrig.

'Edrycha Lois, mae o'n chwilio am Dylan,' meddai Alan yn falch.

'Edrycha Alan,' meddai Lois yn sbeitlyd, 'Mae o'n codi'i goes.'

'Moffat y mochyn!' dwrdiodd Alan. 'Chwilio am Dylan wyt i fod i'w wneud, dim pi-pi ar ben y cerrig!'

Edrychodd Moffat yn syn ar Alan am funud fel petai'n dweud 'wel mae gen i hawl i bi-pi!'

Cododd Alan un neu ddwy o gerrig gan alw 'Dylan?'.

Yn y man, roedd Moffat wedi deall 'y gêm' a dechreuodd snwffian eto tra ysgydwai ei gynffon yn wyllt. Yn sydyn, dechreuodd Moffat grafu ar un o'r cerrig gan gyfarth bob hyn a hyn.

'Be sydd yna boi?' gofynnodd Alan. 'Wyt ti wedi dod o hyd i Dylan? Symuda rŵan i mi gael gweld.' Ond parhau i grafu'r garreg a chyfarth a wnâi Moffat heb gymryd unrhyw fath o sylw o Alan.

'MOFFAT!' bloeddiodd Alan. 'Ista lawr y penci bach!'

Roedd yn rhaid i Alan lusgo Moffat gerfydd ei goler er mwyn ei symud. Yna cododd Alan y garreg yn ofalus tra safai Lois y tu ôl iddo gan ddal ei hanadl. Dyna lle'r oedd coes bychan brown. Symudodd Alan garreg arall gan ddatguddio Dylan gyda'i ben o'r golwg o dan ei goler. Cododd Alan y crwban bach yn ofalus ofalus.

'Ydi o'n fyw?' gofynnodd Lois yn boenus.

'Dwi ddim yn gwybod,' sibrydodd Alan yn ddistaw.

Ar hynny, dyma Moffat yn cyfarth nes gwneud i Lois ac Alan neidio.

'Moffat y twmffat!' poerodd Lois yn gas.

'Edrycha Lois!' meddai Alan yn sydyn. 'Mae o'n symud!'

Yn ara' deg bach, daeth pen bach moel i'r

golwg oddi fewn i'r gôt ac yn ara' deg bach agorodd dwy lygaid fach frown gan ddweud yn gysglyd, 'Y ... be sy'n mynd ymlaen?'

Roedd yn amlwg nad oedd Dylan wedi sylweddoli bod rhywbeth o'i le, ac roedd wedi synnu gweld Alan a Lois. Esboniodd Alan a Lois am y ddamwain y noson cynt ac fel yr oeddynt wedi poeni'n ofnadwy amdano. Edrychodd Dylan o'i amgylch gan weld y clawdd cerrig wedi dymchwel o'i gwmpas a rhyw stwff rhyfedd gwyn ar y llawr. Ni fedrai gredu ei fod wedi cysgu drwy'r holl gyffro, a sylweddolodd ei fod yn ffodus iawn na chafodd ei anafu.

'Pa fis yw hi?' gofynnodd Dylan. 'Mae hi'n oer iawn a beth yw'r stwff gwyn yma?'

'Eira ydi hwn Dylan,' meddai Lois gan godi tamaid yn ei dwylo. 'Mae'n fis Rhagfyr ac yn ddiwrnod Nadolig fory!'

Teimlai Lois ysbryd y Nadolig yn dychwelyd o'r diwedd.

Penderfynodd Alan y byddai'n well i Dylan gysgu am weddill y gaeaf mewn bocs yn y cwt. Edrychai'r crwban yn boenus, ond cysurodd Alan: Byddi di'n fwy diogel yno ac fe wnâf yn siŵr na ddaw neb i wybod amdanat.'

'Erbyn y gwanwyn,' meddai Lois, 'bydd y clawdd cerrig wedi ei godi yn ôl ac mi gei di ddychwelyd i fyw yno ar ôl i ti ddeffro eto.'

Teimlai Dylan ychydig yn hapusach, ac yn wir, roedd yn awyddus i gael mynd yn ôl i gysgu.

Ar ôl cinio, tra cysgodai Dylan yn y clawdd, a oedd bellach yn dwmpath o gerrig, aeth Lois ac Alan ati i baratoi cartref dros dro i Dylan. Daeth Lois o hyd i focs bach pren a rhoddodd bapur newydd ar ei waelod. Roedd ganddi gadachau a mwy o bapur newydd wrth law i'w gosod o amgylch Dylan pan âi i'r bocs.

Yn y man, roedd y bocs yn barod ac wedi

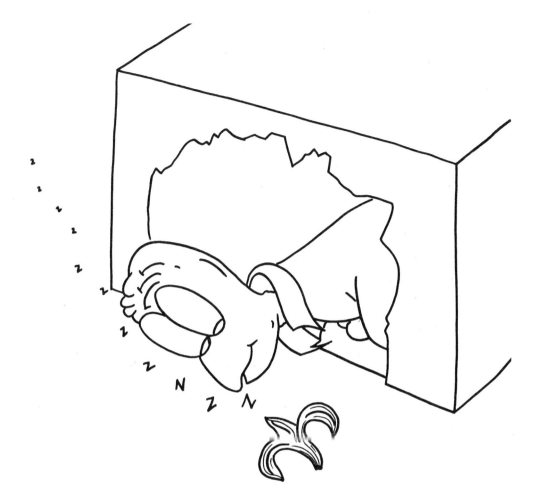

ei roi mewn man cuddiedig yng nghwt Alan.
Daeth Alan i fewn gyda Dylan yn ei ddwylo.

'Wel Dylan, croeso i dy gartref newydd!'

'O leiaf mae'n gynhesach yn fan'ma,'
meddai Dylan.

'Fuaset ti'n hoffi rywbeth bach i fwyta cyn

i ti ailafael yn dy gwsg?' gofynnodd Lois.

'Buaswn yn hoffi ban ... '

Ond cyn i Dylan orffen dweud 'banana', torrodd Alan ar ei draws.

'Wn i!' meddai Alan â'i wyneb yn goleuo. 'Mae gennyf yr union beth!' Ac ar hynny rhedodd i'r tŷ.

'O, dim un o'i syniadau twp eto!' ochneidiodd Lois gan agor ei cheg wedi blino.

Roedd wedi bod yn ddiwrnod hir a hithau heb gael fawr o gwsg neithiwr. Dychwelodd Alan gyda llond llaw o ... sbrowts.

'Dyma fyddan ni'n ei bwyta fory efo cinio 'Dolig Dylan,' meddai Alan gan osod y sbrowts o flaen Dylan.

Edrychodd Dylan arnynt. Nid oedd wedi gweld pethau fel hyn erioed o'r blaen, a mentrodd un sbrowten gan ei bwyta'n araf bach, ond yna gwnaeth yr ystumiau rhyfeddaf gan grychu'i drwyn a phoeri'r sbrowtsan allan.

'Ych-a-fi!' meddai Dylan gan boeri unwaith eto.

Dechreuodd Lois chwerthin dros y lle.

'Rwyt ti'n iawn,' chwarddodd Lois. 'Mae sbrowts yn ych-a-fi!'

Ond edrych yn ddigon syn a wnâi Alan.

'Beth sydd?' gofynnodd Lois drwy byliau o chwerthin.

'Mi fydda i yn hoffi bwyta sbrowts,' gwenodd Alan.

Edrychodd Lois a Dylan arno'n sobor fel petai Alan wedi dweud ei fod yn hoffi bwyta baw ci.

'Beth bynnag,' rhesymodd Alan. 'Mae nhw'n bethau iach iawn i'w bwyta.'

'Ond mae blas drwg yn fy ngheg!' cwynodd Dylan.

'Wel lwc i mi ddod â banana efo fi hefyd felly!' meddai Alan.

Goleuodd wyneb Dylan wrth weld y fanana, ac fe'i bwytaodd yn awchus.

Ar ôl ei gorffen, swatiodd Dylan yn ei gartref newydd, ac wedi iddo ddweud nos da wrth Alan a Lois, aeth i gysgu'n syth.

Wedi holl helbul y diwrnod cynt, cafodd Alan a Lois ddiwrnod Nadolig gwerth chweil. Cafodd Lois feic coch smart, ac roedd Alan wedi gwirioni gyda'i fwrdd sglefrio. Tybiai y buasai Dylan yn hoffi reid arno yn y gwanwyn.

Roedd y ddau ffrind yn dipyn hapusach eu byd nawr fod Dylan yn ddiogel yn y cwt. Erbyn y byddai'n amser iddo ddihuno yn y gwanwyn, buasai'r clawdd cerrig wedi ei drwsio a phopeth yn ôl i drefn.

NIA DAVIES WILLIAMS

Nadolig Caleb

Roedd hi'n Noswyl y Nadolig, a dyna lle'r oedd Caleb y Cwch Achub a Chapten Iolo, ei ffrind gorau yn y byd, allan yng nghanol y môr mawr. Ond o leia' roeddent ar eu ffordd yn ôl at y tir ar ôl achub cwch pysgota bach a oedd wedi mynd i drafferthion.

Diolchodd y criw i gyd yn gynnes iawn i Caleb a Chapten Iolo ar ôl cyrraedd yr harbwr. Wedi'r cyfan, byddai'n beth ofnadwy gorfod bod allan ar y môr mawr drwy'r nos y noson cyn y Nadolig. Wedi ffarwelio â phawb, a dymuno 'Nadolig Llawen!' iddynt, llywiodd Capten Iolo Caleb yn ôl at y cwt clyd.

Ar ôl gwneud yn siŵr fod Caleb wedi swatio'n gynnes, agorodd Capten Iolo un o'r drysau bach, a dweud, 'Nos da i ti Caleb. Mi wela' i ti fore'r Nadolig. Trïa gysgu neu ella na ddaw Siôn Corn.' Yna, cerddodd i ffwrdd, gan chwerthin yn dawel fach.

Aeth popeth yn ddistaw, ac yna roedd Caleb ar ei ben ei hun bach unwaith eto. Heno oedd un o adegau gorau'r flwyddyn iddo. Edrychodd allan drwy'r ffenest, a gwenodd yn hapus: roedd wedi dechrau bwrw eira!

Caeodd ei lygaid yn barod i fynd i gysgu, rhag ofn i Siôn Corn gyrraedd yn gynnar.

Yna'n sydyn, 'Cnoc, Cnoc, Cnoc ... ' Agorodd Caleb ei lygaid.

'Helô?' meddai gan edrych ar y drysau mawr yn syn. 'Pwy sy' 'na?'

Yna, heb sŵn o gwbl, agorodd y cloeon mawr ar eu pennau eu hunain. 'Hm? Od,' meddyliodd Caleb, wrth wylio drysau ei gwt yn agor yn araf. Cerddodd creadur rhyfedd yr olwg i mewn drwy'r drysau agored, ac edrychodd Caleb arno'n syn. Yno, yn sefyll

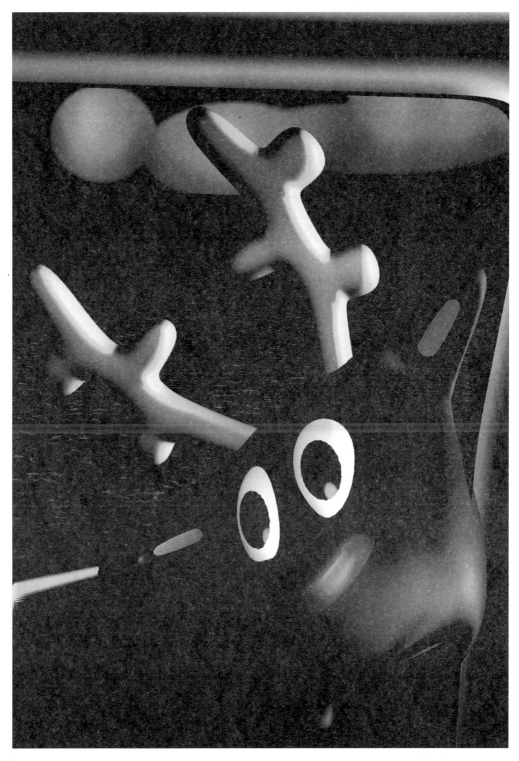

193

o'i flaen, roedd carw mawr brown gyda thrwyn coch.

'Helô, Caleb!' meddai'r carw. 'Does dim amser i'w golli: mae Siôn Corn mewn trafferthion mawr!' A chyn i Caleb gael amser i ofyn pam, roedd ar y sleid yn saethu i lawr tuag at y môr hefo'r carw ar ei fwrdd.

'Ond be am Gapten Iolo?' gofynnodd Caleb.

'Paid ti â phoeni Caleb, fydd Capten Iolo'n gwybod dim am hyn. Cyfrinach rhyngot ti a Siôn Corn ydy hyn.'

Yn y pellter, gwelodd Caleb sled enfawr Siôn Corn yng ngolau'r lleuad. Arswydodd wrth weld bod y sled bron iawn â boddi yn y dŵr, gyda gweddill y ceirw yn ceisio ei hachub.

'Diolch byth!' meddai Siôn Corn. 'Dyma ti wedi cyrraedd, Caleb bach. Mae'n rhaid imi ofyn i ti am gymorth.' Ac wrth iddynt lwytho'r anrhegion i gyd ar fwrdd Caleb, eglurodd Siôn Corn ymhellach. Roedd pobl eisiau mwy a mwy o bethau pob blwyddyn, meddai, a hon oedd y flwyddyn lle'r oedd y pwysau'n ormod i'r hen sled. Yna, rhwymodd Siôn Corn hanner y ceirw wrth Caleb, ac fe dynnodd gweddill y ceirw'r hen sled nôl adref i'r Gogledd Pell.

'Dydw i ddim angen y ceirw, Siôn Corn,' meddai Caleb. 'Mae gen i beiriannau cryf dros ben, ond alla i fyth fynd o gwmpas y byd i gyd i ti mewn un noson.'

Gwenodd Siôn Corn yn ddireidus arno. Yna, rhoddodd ei law yn ei boced, a thynnu llond dyrnaid o lwch hud allan ohoni. Cyn i Caleb ddeall yn iawn beth oedd yn digwydd, roedd wedi chwythu'r llwch drosto i gyd.

O fewn eiliadau, teimlai Caleb yn ysgafn ac yn chwim i gyd wrth iddo edrych i lawr a gweld y môr yn mynd yn bellach ac yn bellach i ffwrdd. O, roedd hyn yn braf! Ond teimlad

rhyfedd iawn oedd cael Capten Siôn Corn yn ei lywio. Cyn pen chwinciad morlo, roedd Caleb wedi bod yn danfon anrhegion Siôn Corn mewn gwledydd nad oedd hyd yn oed wedi clywed amdanynt o'r blaen.

Wel! Dyna beth oedd achub! Achub diwrnod 'Dolig.

Wrth iddo adael arfordir Ffrainc, dechreuodd arafu a disgyn yn araf bach. Ac yno o'i flaen, gwelodd ei gwt. Roeddent yn ôl adref ymhell cyn i'r wawr dorri.

Chwarddodd Caleb yn uchel wrth i Siôn Corn ei lywio a'i osod i orffwys yn ddestlus ar do tŷ Capten Iolo. Aeth Siôn Corn i lawr y simdde gyda'i anrheg arbennig i Gapten Iolo – pâr o welintons du cynnes, cynnes.

'Dyna ni Caleb bach, yr anrheg olaf un. Diolch o galon i ti am dy help heno. Rŵan 'ta, 'nôl â thi i'r cwt. Gyda llaw, i ti gael gwybod, mae Capten Iolo'n chwyrnu gymaint, mae waliau'r stafelloedd yn cael eu sugno i mewn ac allan. Lwcus iddo beidio rhannu dy gwt di, yntê?' a chwarddodd Siôn Corn dros bob man.

Wrth i Caleb gael ei roi 'nôl yn y cwt yn dyner gan geirw Siôn Corn, meddai, 'Cofia os byddi di angen help unrhyw bryd, Siôn Corn, dim ond gofyn sydd raid, ac mi fydda i yno'n syth.' Winciodd Siôn Corn arno, a diolch iddo unwaith eto.

Yna, roedd wedi mynd. Ac wrth i Caleb edrych ar Siôn Corn yn hedfan i ffwrdd ar gefn un o'r ceirw, caeodd y drysau mawr yn ddistaw bach ar eu pennau eu hunain. Aeth popeth yn dawel unwaith eto.

Meddyliodd Caleb am y noson wych a'r holl anrhegion, a'r ffaith ei fod wedi hedfan o amgylch y byd mewn un noson, heb flino o gwbl. Yna, cofiodd rywbeth pwysig iawn, iawn: doedd Siôn Corn ddim wedi gadael anrheg iddo fo – a hithau'n Nadolig!

Ond dyna fo, meddyliodd wedyn. Gan fod

y ddau wedi bod mor brysur gydol y nos doeddent heb gael amser i feddwl amdanynt eu hunain. A syrthiodd i gysgu'n dawel gan deimlo'n braf drosto.

Fore'r Nadolig, deffrôdd Caleb yn gynnar iawn, fel arfer. Yna, clywodd lais cyfarwydd iawn yn ei gyfarch. 'Ho, ho, ho! Dyma fi, Siôn Corn. Gobeithio dy fod yn cysgu, Caleb, i mi gael rhoi anrheg i ti.'

Adnabu Caleb y llais yn syth. Wedi'r cyfan, roedd wedi hen arfer: dyma oedd geiriau cyntaf Capten Iolo wrtho bob bore Nadolig.

'Nadolig Llawen, Capten Iolo!' Gwenodd Caleb arno, gan lygadu parsel oedd yn nwylo mawr y Capten, wrth i Haf y gath agor ei llygaid am y tro cyntaf y noson honno.

'Cael hyd iddo y tu allan wnes i, yli. Mi wna i 'i agor o i ti, ia?' Rhwygodd Capten Iolo'r papur sgleiniog, coch a gwyrdd, gan ddatgelu darlun enfawr mewn ffrâm. Yno, o'i flaen, roedd llun o Caleb, Siôn Corn a'r ceirw yn hedfan dros y cwt.

Chwarddodd Capten Iolo'n braf. 'Mae gan yr hen Siôn Corn 'na dipyn o hiwmor. Cwch achub yn hedfan drwy'r awyr? Pwy glywodd am y fath beth erioed? Ew, tynnwr coes heb ei ail ydy Siôn Corn! A be ti'n feddwl ges i gynno fo?'

'Emmm ... Welintons cynnes, cynnes du?' cynigiodd Caleb.

Edrychodd Capten Iolo arno'n syn. 'Sut yn y byd wyt ti'n gwybod?'

'Dim ond syniad,' gwenodd Caleb, gan benderfynu peidio â sôn am y chwyrnu – wel, am y tro, o leia.

Gosododd Capten Iolo anrheg Caleb ar wal y cwt, ac edrychodd Caleb ar y llun gyda balchder. Ia, yn sicr dyma'r 'Dolig gorau erioed. Hon oedd ei gyfrinach o a neb arall – dim hyd yn oed Haf y gath, a oedd wedi cysgu ar fwrdd Caleb trwy'r holl ddigwyddiadau. Beth bynnag, pwy fasa'n credu ei stori o? Fasach chi?

DAFYDD HARRIS-DAVIES

Beicwyr Bedlam
a Chapten Jac

'O! Mae'n dywyll fel bol buwch yma!'

'Dalia'r lamp yn llonydd, Tim!'

'Ych! Mae 'na ddiferyn o ddŵr oer wedi disgyn i lawr fy nghefn!'

'Aaaa! Beth oedd hwnna – ystlum?'

Daeth atsain y geiriau'n ôl ar draws yr ogof eang. Roedd Beicwyr Bedlam yn baglu eu ffordd drwy'r tywyllwch a'r oerni. Llifai'r dŵr i lawr y creigiau gan greu pyllau bach ar y llawr.

'Y ... 'sa well i ni droi'n ôl rŵan? Rydan ni wedi cerdded ers deng munud bellach, a does 'na ddim golwg o'r "trysor" yn unman,' meddai Gethin.

'Hynny ydi – os oes 'na'r fath beth â thrysor i'w gael yntê?' mentrodd Steffan.

Stopiodd Cara'n stond, gan beri i bawb arall daro'n erbyn ei gilydd o'r tu ôl. Wrth gwrs bod trysor i'w gael!' meddai'n flin. 'Roedd yr hanes i gyd ar ddu a gwyn yn llyfr

Nain, yn toedd? Lembo!' Martsiodd hithau yn ei blaen ymhellach i lawr y düwch, mor benderfynol ag erioed. Dilynodd y tri bachgen ar ei hôl, ac edrychai Gethin yn nerfus dros ei ysgwydd bob yn hyn a hyn ...

Roedd y criw wedi dod i dreulio'r Pasg yng nghartref nain Cara ar lan y môr, ac yn cael amser wrth eu boddau. Picio i'r traeth am gêm o bêl-droed ac adeiladu cestyll tywod rif y gwlith; mynd am bicnic ar ben y clogwyni gan edrych allan ar y Môr Celtaidd; mynd ar y beics at y goleudy, ac archwilio ogof Capten Jac! Gwyddai pawb ar hyd y fro am Ogof Capten Jac, a'i hanes oedd yn llawn chwedloniaeth. Roedd Nain wedi adrodd y stori droeon i Cara a'i ffrindiau, a gellid dod o hyd i'r cyfan o fewn cloriau llyfr hanes hynafol o'r enw Anturiaethau Mawreddog Capten Jac Morgan o'r Traeth Mawr. Yn ôl pob tebyg, roedd y Capten wedi teithio i bedwar ban byd yn ei long yn y 1750au, ac wedi dod â rhai o drysorau'r ynysoedd pell yn ôl i Gymru. Yn anffodus, cafodd ei ladd yn ifanc iawn ar y môr yn ystod storm arw – gan adael llond stôr o ddiamwntau a gemau gwerthfawr ar y tir mawr. Yn ôl y sôn, Ogof Capten Jac oedd y lle hwnnw. Roedd Cara a'r criw wedi trefnu i godi cyn cŵn Caer y bore hwnnw er mwyn gweld ai gwir ynteu gau oedd y cyfan. Wfftiai Siôn, cefnder cegog Cara – oedd hefyd yn aros yn nhŷ Nain dros y Pasg – hyn i gyd, a gwnâi hwyl am ben Beicwyr Bedlam yn ddiddiwedd.

'Ha! Rydach chi'n disgwyl gweld modrwyau a ballu

mewn hen ogof wlyb ac oer, felly? "Beicwyr Bedlam" wir!
"Beicwyr Boncyrs" faswn i'n eich galw chi! Ha ha ha!'

Yn y cyfamser, roedd Beicwyr Bedlam yn dal i grwydro
i grombil yr ogof. Roedd Gethin yn dal i fod mor nerfus ag
erioed, ac yn amau bod rhywun yn eu dilyn o bell. Rhythodd
i'r tywyllwch i weld a allai gael cip ar rywun – neu rywbeth –
ond yn ofer. Roedd pwy bynnag oedd yno'n swatio'n dawel
bach yng nghysgod y creigiau llaith. Yn sydyn, clywodd Cara
oedd ymhell i ffwrdd o'i flaen yn rhoi bloedd o gyffro.

'Y trysor! Rydan ni wedi dod o hyd i'r trysor!'

Rhedodd Gethin fel fflamiau ar ôl ei ffrindiau, a gweld pawb ar eu pengliniau, ar y llawr mewn cilfach isel a chul. O'u blaen, roedd hen gist bren.

'Wel, jiw jiw!' meddai Tim yn syn.

Efallai fod y llyfr yn iawn wedi'r cwbl!' ychwanegodd Steffan, a'i lygaid yn llydan fel soseri.

'Reit!' meddai Cara gan gamu'n nes at y gist, 'dyma ni ... '

Gafaelodd yn y clo, a chael syndod wrth ddarganfod nad oedd wedi cloi. Yn araf bach, cododd y caead a dal ei gwynt. Gwyliai'r tri bachgen hi fel barcud o'r tu ôl. 'Wel?' holodd Steffan ar bigau'r drain. Gwelodd Cara'n rhoi ei dwylo yn y gist, yn aros am eiliad, ac yna'n codi rhywbeth allan ohono. 'Beth ar y ddaear ... ?' meddai Gethin mewn syndod; doedd y lleill ddim yn siŵr p'un ai chwerthin neu grïo. 'PWY ar y ddaear ... ?' Daliai Cara'r 'trysor' yn ei llaw – tegan Jac yn y Bocs!

Atseiniodd sŵn chwerthin afreolus yn yr ogof. Trodd Beicwyr Bedlam i weld neb llai na Siôn yn morio chwerthin y tu ôl iddynt. 'Ha! ha! Be ydach chi'n feddwl o drysor Capten Jac? Ha ha ha!' Roedd yn amlwg wedi chwarae tric ar y criw, ac wedi plannu'r 'trysor' yn y fan honno y diwrnod cynt.

Roedd Cara ar dân, a'i thymer yn berwi fel mynydd

folcanig. 'Reit, giang – ar ei ôl o-o-o-o-o-o-o-o!' gorchmynnodd wrth ei ffrindiau. Rhedodd y pedwar nerth eu traed ar ôl Siôn, fel cŵn hela yn ceisio dal llwynog, a'u bloedd yn atsain o graig i graig.

Ar y llawr, roedd y gist wag a'r Jac yn y Bocs. Ond petai beicwyr Bedlam wedi craffu'n fwy gofalus heibio'r gist, fe fuasen nhw wedi gweld rhimyn o sglein mewn hollt yn y graig – rhywbeth gwerthfawr iawn, iawn, oedd yn eiddo i Gapten Jac Morgan o'r Traeth Mawr ers talwm ...

DYLAN WYN WILLIAMS

Beicwyr Bedlam
ar garlam!

Roedd y diwrnod mawr wedi cyrraedd. Ar ôl wythnosau o drefnu a pharatoi cant a mil o bethau, roedd popeth yn barod. Chwifiai degau o faneri'r ddraig goch o un polyn teliffon i'r llall, a balwnau lliwgar wedi'u clymu wrth giatiau'r iard. Oedd, roedd Ysgol Gynradd Cwm Eithin yn ganmlwydd oed, a'r ardal i gyd yn dathlu! Un o brif ddigwyddiadau'r diwrnod oedd gorymdaith gan y disgyblion presennol, o'r ysgol i lawr i'r pentref – lle'r oedd Aelod y Cynulliad a phobl bwysig eraill yn aros amdanynt yn y parti awyr-agored allan ar y Stryd Fawr. Yn wir, roedd yr orymdaith yn ddigon o sioe, gyda Seindorf Arian y Cwm ar y blaen. Roedd rhai o'r plant wedi gwisgo i fyny fel plant ysgol Oes Fictoria; criw arall mewn gwisg draddodiadol Gymreig neu aelodau o Orsedd y Beirdd; rhai fel chwarelwyr a ffermwyr; eraill fel sêr o fyd adloniant Cymraeg. Roedd staff yr ysgol wedi'u gwisgo fel athrawon cyfnod 1900, ac yn cael eu cludo gan geffyl a throl ar flaen yr orymdaith. Yng nghanol hyn i gyd, roedd Steffan, Cara Wyn, Gethin Rhys a Tim wedi bod yn ddigon ffodus i reidio'u beics yn rhan o'r cyfan – fel criw o dîm rasys beics y 'Tour de Cymru', yn eu lifrai o goch, gwyn, a gwyrdd. Oedd, roedd hon am fod yn ddiwrnod i'w chofio – a hynny bron iawn am y rhesymau anghywir!

Pwy fuasai'n meddwl y byddai gwenynen fechan yn medru creu gymaint o stŵr? Ond dyna a ddigwyddodd wrth iddi bigo'r ceffyl oedd yn llusgo'r drol. Gweryrodd y ceffyl mewn braw, gan ysgwyd y drol yn bendramwnwgl. Neidiodd y tri athro i ffwrdd mewn pryd, cyn i'r march ddechrau rhedeg. Syllodd pawb yn gegagored wrth wylio'r march yn carlamu nerth ei draed i lawr tua'r pentref.

Tim gafodd y fflach o ysbrydoliaeth, yng nghanol sgrechiadau a dagrau criw yr orymdaith. 'Mae'n rhaid i ni wneud rhywbeth ar frys, bois – neu bydd rhywun yn cael eu hanafu yn y pentref!'

'Ond beth?' holodd Cara, 'beth allwn ni ei wneud yn erbyn y ceffyl *Grand National* 'na?!'

'Dim!' atebodd Gethin, 'a ph'un bynnag, mae Mr Richards wedi mynd i ffonio i'w rhybuddio nhw.'

'Ond mae'r ffôn agosaf rhyw filltir i ffwrdd!' meddai Steffan, wrth weld y Prifathro'n chwysu a thuchan wrth redeg i fyny'r rhiw at yr ysgol.

'Yn hollol!' atebodd Tim, 'dilynwch fi!'

Er gwaetha protestiadau'r athrawon, sgrialodd y pedwar

ar eu beics drwy giât gyfagos, ac i mewn i'r cae. Ymhen hir
a hwyr, roedd Beicwyr Bedlam yn gyrru'n wyllt i lawr y
llechweddau – tra oedd y ceffyl yn dal i garlamu'n afreolus i
lawr y ffordd oedd yn arwain i gyfeiriad Cwm Eithin ...

Yn y pentref ei hun, roedd bwrlwm mawr. Roedd
byrddau bwyd wedi'u gosod o un pen y stryd i'r llall, yn llawn
danteithion blasus o bob lliw a llun. Ymysg y chwerthin a'r
siarad sionc, roedd sŵn arall i'w glywed – sŵn fel storm o
daranau ar y gorwel yn dod yn nes ac yn nes ac yn nes ...

Roedd hyd yn oed Tim yn gallu clywed carnau'r ceffyl yn
taro fel dur ar y tarmac caled gerllaw. Newidiodd gêr y beic
i fyny, a phadlodd yn gyflymach er bod ei goesau blinedig yn

brifo eisoes. Roedd ei wyneb ar dân, a'i galon yn curo fel drymiau. Yn y man, gwelodd toeau adeiladau'r pentref yn sbecian rhwng y coed islaw. O un i un, gwibiodd y beiciau allan o'r goedwig, a hedfan dros y creigiau a'r dŵr, dros y bryncyn, ac i lawr tua'r Stryd Fawr. 'Pawb i weiddi nerth eu pennau! Symudwch o'r ffo-o-o-o-o-o-o-o-rdd!'

Trodd y pentrefwyr mewn braw i weld pedwar o bethau mwdlyd a gwyllt yr olwg yn beicio i lawr y stryd. 'Beth ar wyneb y ddaear ... ?' meddai un gŵr yn syn. 'Beicwyr Bedlam ydyn nhw! Yr hen dacla' drwg!' poerodd un arall yn flin. Dechreuodd rhai pobl gario'r plant lleiaf i ddiogelwch eu tai, rhag ofn. 'Ylwch!' gwaeddodd un wraig mewn braw, gan bwyntio i gyfeiriad y ceffyl gwyllt oedd newydd ymddangos ym mhen ucha'r stryd. Erbyn hyn, roedd pawb wedi gweld y perygl, ac yn baglu a brasgamu i'w tai, neu yn neidio tu ôl rhyw wal neu ffens. Taflodd Steffan, Cara, Tim a Gethin eu beics ar y palmant, a swatio yng nghwmni dwsin arall ym mhorth y capel bach.

Yn sydyn, roedd pobman yn dawel fel y bedd. Roedd Beicwyr Bedlam yn chwys domen ac allan o wynt yn lân. Wrth ymyl Cara, roedd Mrs Jones y Gweinidog wedi llewygu mewn ofn. Aeth hanner munud arall heibio. Dal dim siw na miw. Beth oedd wedi digwydd? Roedd yr holl beth yn ormod i Steffan. Trodd ei ben yn araf heibio'r cyntedd ... a dechreuodd biffian chwerthin! Gwthiodd y tri arall heibio i weld beth oedd y jôc fawr. O un i un, daeth y bobl eraill allan o'r tai i ryfeddu ar yr olygfa o'u blaenau. Yno, roedd y ceffyl ei hun yn cael diwrnod i'r brenin wrth lowcio a bwyta'r holl wledd oedd ar y byrddau – yn gacennau hufen a thoesennau, jelïau a chwstard o bob math!

O leia' roedd rhywun yn dathlu canmlwyddiant Ysgol Gynradd Cwm Eithin mewn steil!

DYLAN WYN WILLIAMS

WIL A'R GACEN NADOLIG

Agorodd Wil y Cawr Mawr Swil y llenni melyn a guddiai'r ffenestr fawr yn yr ystafell wely, ac edrychodd drwyddi. Roedd hi'n fore braf, yr awyr yn glir, a dim ond ychydig iawn o gymylau oedd i'w gweld.

'Bore braf, bore braf.

Bendigedig, bendigedig,' canodd Wil y Cawr Mawr Swil.

'Bore braf, bore braf.

Bendigedig, bendigedig,' canodd Wil drachefn.

Roedd Wil yn hapus am fod hi'n ddiwrnod mor braf – y diwrnod brafia ers dyddiau.

Pan godai o'i wely, codai trigolion y dref hefyd. Am ei fod yn gawr mawr iawn, byddai adeiladu tref Bryn Castell yn crynu fel dail pan gerddai! Dyna pam fyddai trigolion y dref yn codi yr un amser ag ef, a phan fyddai Wil yn tisian, byddai'r adar, y cŵn a'r cathod yn cynhyrfu'n lân ac yn rhuthro oddi yno.

Cododd Bil y Bwtsiar, Maer y dref, y plant a'r rhieni.

Cododd y teulu o lygod llwyd oedd yn byw yn y twll tu ôl i'r piano.

Cododd pawb yn y dref ... PAWB!

Ar ôl gwisgo amdano a rhoi ei esgidiau maint 23 am ei draed, aeth Wil y Cawr Mawr Swil i lawr y grisiau pren, ac i'r gegin fawr fawr.

Clywodd gnoc ar y drws.

Cnoc, cnoc, cnoc. Cnoc, cnoc, cnoc.

Agorodd Wil y drws ffrynt anferth glas. Hwn oedd y drws ffrynt mwyaf yn nhref Bryn Castell.

'Bore da,' meddai Jac. Maer y dref oedd Jac.

'Bore da, Mr Maer,' atebodd Wil.

'Bore braf heddiw Wil,' meddai Jac.

'Ydi,' atebodd Wil. 'Dewch i mewn,' ac aeth Jac y Maer i fewn i'r tŷ. Roedd Wil y Cawr Mawr Swil yn byw yn y tŷ mwyaf yn y dref. Roedd y to llechi'n uchel, uchel ac roedd yr ardd yn fawr, fawr hefyd.

Nid oedd giât fawr haearn yn y tŷ yma. Nid oedd lôn droellog yn arwain at y tŷ. Hoffai Wil y tŷ newydd yng nghanol y dref. Roedd croeso mawr i'w ffrindiau newydd pan fyddent yn galw draw am sgwrs.

'Dewch i mewn i'r gegin,' mynnodd Wil y Cawr Mawr Swil.

'Diolch yn fawr,' atebodd Jac y Maer.

Dechreuodd Wil ganu dros bob man! Roedd Wil yn hoff o ganu.

'Bore braf, bore braf.

Bendigedig, bendigedig.

Bore braf, bore braf,' canodd Wil y Cawr Mawr Swil.

Hoffai Wil fwyta drwy'r dydd, a thrwy'r nos hefyd! A wyddoch chi beth oedd ei hoff fwyd yn y byd i gyd? Wel, omlet.

Roedd Wil yn gogydd o fri – y cogydd gorau yn y byd i gyd. Rhoddodd y badell ffrio ar y stôf. Yn y badell ffrio torrodd ddau wy. Yna, ychwanegodd y ... JELI COCH ... yna'r bananas! Roedd Wil yn hoffi bwyta omlet jeli a bananas ... Ych a fi! Hoffai Wil fwyta'r bwyd rhyfedda. Bwytaodd y Maer omlet jeli a bananas hefyd! Bwytaodd y ddau yn hapus braf.

'Mae gen i rywbeth pwysig i'w ofyn.'

'O,' atebodd Wil, 'beth felly?'

'Mae cyngor y dref eisiau coginio cacen i'r dref drws nesaf.'

Gwrandawodd Wil yn astud iawn.

'Gan mai chi yw'r cogydd gorau yn y byd, wnewch chi ein helpu?' gofynnodd Jac y Maer.

'Fi?' gofynnodd Wil mewn syndod. Roedd Wil wedi ei syfrdanu, ac felly cytunodd i goginio'r gacen anhygoel – y gacen orau yn y byd i gyd.

Llowciodd Wil a Jac y Maer y bwyd i gyd.

'Dyma dda,' meddai Wil.

'Bwyd blasus iawn,' atebodd Jac y Maer wrth lyfu ei wefusau.

Meddyliodd y ddau am beth oedd angen er mwyn coginio'r gacen – yr orau yn y byd.

Roedd yn rhaid cael help llaw hefyd, am ei fod yn waith andros o lafurus. Crafodd y ddau eu pen wrth feddwl a meddwl a meddwl!

Nes ...

'Dwi wedi cael syniad!' bloeddiodd Wil.

'Beth am ofyn i drigolion tref Bryn Castell i'n helpu?'

'Syniad gwych,' atebodd Jac y Maer.

Ac felly bu.

Drannoeth, daeth y trigolion i neuadd y dref, a gwrandawodd y gynulleidfa'n ofalus ar bob gair ddywedodd y Maer.

'Rhaid coginio'r gacen orau yn y byd i gyd,' dywedodd y Maer.

'Helpwn ni,' gwaeddodd y gynulleidfa.

Y bore wedyn, roedd sŵn cynnwrf mawr yn y dref – roedd y trigolion wedi deffro'n gynnar iawn, ond roedd Wil yn dal yn ei wely! Dyna chi beth anarferol. Edrychent ymlaen i goginio'r gacen.

Roedd cnoc ar ddrws ffrynt tŷ Wil. Yn araf iawn, gwisgodd amdano, aeth i lawr y grisiau, ac agor y drws mawr glas.

Roedd llu o bobl yn sefyll o'i flaen. Daeth

y bobl i fewn i'r tŷ, un ar ôl y llall. Roeddynt ar bigau drain eisiau cychwyn y sialens fawr o goginio cacen fendigedig. Gwisgodd rai ffedog. Roedd rhai yn cario pin rhowlio ac roedd pob math o bethau yn dod i'r golwg.

Y dasg nesaf oedd rhoi'r cynhwysion yn y fowlen, yna cymysgu popeth gyda'i gilydd. Daeth o hyd i lyfr rysáit mewn drôr yn y gegin. Agorodd y llyfr mawr tew. Roedd ryseitiau cig a chawl a phob math o fwyd ynddo. Ond ble oedd y rysáit am greu cacen, tybed?

Crafodd Wil ei ben ac edrych drwy'r llyfr yn ofalus iawn.

'Aha,' bloeddiodd y Cawr.

'O'r diwedd!'

Torchodd Bil y Bwtsiar lewys ei grys. Roedd pawb yn barod i goginio.

Eisteddodd Lowri a Lili a Llŷr y llygod o dan y bwrdd mawr pren yn y gegin.

Disgwylient yn amyneddgar am y briwsion i syrthio ar y llawr – dyna fyddai eu pryd bwyd y prynhawn hwnnw. Blasus iawn! Ddim pob diwrnod byddai teulu o lygod yn cael briwsion cacen arbennig.

Ymhen amser, daeth y gwaith caled i ben, ac roedd y gacen enfawr yn werth ei gweld. Teimlai pawb yn hapus wrth weld y gacen yn y popty – roedd yn rhyddhad mawr i bawb, a chawsant baned o de i ymlacio!

Deuai arogl bendigedig o gyfeiriad y gegin rai oriau'n ddiweddarach.

Gwyliodd y trefwyr Wil yn taenu'r eisin gwyn dros y gacen; edrychai fel blanced o eira pur. Edrychai'r bobl yn gegagored ar y gacen ysblennydd. Yn wir i chi, cafodd y teulu o lygod llwyd ddigonedd o fwyd y diwrnod hwnnw. Yr hyn oedd ar ôl i'w wneud oedd cario'r gacen o'r gegin fawr. Ond, o diar – roedd y gacen yn rhy drwm o lawer. Ceisiodd Bil y Bwtsiar ei chodi. Crynodd ei

goesau fel jeli; crynodd ei freichiau. Crynodd
gymaint nes iddo bron iawn ei gollwng!
Roedd y gacen yn rhy drwm o lawer.

Llithrodd o'i law, ond gyda lwc, glaniodd mewn un darn ar y bwrdd!

Cafodd Wil hwyl fawr yn eu gwylio.

Roedd hon yn broblem fawr iawn! Wrth gwrs, dim ond un person fyddai'n gallu ei chario o'r tŷ. A'r person hwnnw? Wel, Wil y Cawr Mawr Swil.

Cododd Wil y gacen yn hollol ddidrafferth, a dilynodd Lowri a Lili a Llŷr y llygod.

Y noson honno daeth pobl y dref drws nesaf i Fryn Castell. Cawsant barti mawr. Roedd balŵns lliwgar ym mhob man. Roeddynt wrth eu bodd yn derbyn y gacen fendigedig. 'Diolch yn fawr,' meddai Maer y dref drws nesaf, 'hon yw'r gacen orau yn y byd i gyd.' Cafodd pawb ddarn o'r gacen y noson honno. O, roedd hi'n andros o flasus.

Ew, roedd Wil a thrigolion tref Bryn Castell yn gogyddion o fri!

Aeth Wil y Cawr Mawr Swil yn ôl am adref. Camodd dros y rhiniog, ac aeth i'r gegin a choginio dim llai nag omlet jeli a banana! Eisteddodd ar ei gadair fawr bren o flaen y tân. Eisteddodd Lowri a Lili a Llŷr y llygod ar ei lin, a syrthiodd y pedwar i gysgu tan y bore.

SIONED W. HUGHES DAVIES